AF125701

Jedem Kind ein Instrument

Norbert Koop, Luise Schroeter

Geige

Band 1

herausgegeben von der Stiftung
Jedem Kind ein Instrument

ED 20722

www.schott-music.com

Mainz · London · Berlin · Madrid · New York · Paris · Prague · Tokyo · Toronto

© 2010 SCHOTT MUSIC GmbH & Co. KG, Mainz · Printed in Germany

So stehst du richtig

 Stelle die Füße zusammen, bilde mit den Füßen den Buchstaben V.
Dann stellst du den linken Fuß zur Seite und etwas nach vorn.
Achte darauf, dass du aufrecht stehst.

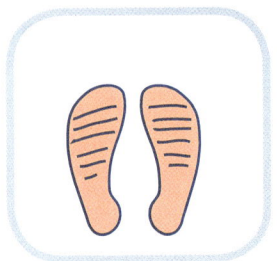 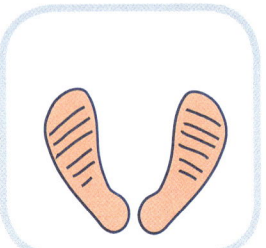 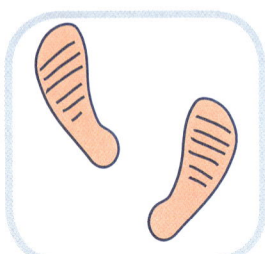

Die Geigenhaltung

 Halte die Geige unter deinem rechten Arm,
halte sie zusätzlich mit der linken Hand
(Ruhestellung).

Halte die Geige in Ruhestellung und lege
die rechte Hand an die Geige.

Die Geige startet wie ein Flugzeug und landet
sanft auf deiner linken Schulter.

Lege dein Kinn auf den Kinnhalter und
halte das Instrument weiter mit der linken Hand fest.

Die ersten Töne

 Lege den Daumen der rechten Hand an das
Griffbrett und zupfe mit dem Zeigefinger an den Saiten.
Probiere alle Saiten unterschiedlich schnell aus.

Danach lass deine Hand
weit von der Geige wegfliegen.
Nach einem großen Kreis
landet die Hand wieder am Griffbrett und
los geht es von vorne.

Biber und Bär

In einem Fluss lebt der Biber. Dort liegen viele Steine.
Gehe von Stein zu Stein und sprich dazu den Spruch:

Brü - cken baut der Bi - ber lie - ber als der gro - ße brau - ne Bär.

Dann sprich und zupfe dazu.
Zupfe den Spruch auf jeder Saite.

In diesem Fluss hat der Biber mit Bäumen und Steinen eine Brücke gebaut.
Der Biber läuft über die Brücke bis ans andere Ufer.

Ü - ber Stei - ne bis zum Baum, das geht gut, wie im Traum.

 Gehe den Weg des Bibers und sprich dabei den Spruch.
Der Stein ist einen Schritt, der Baum zwei Schritte lang.

Spiele den Weg des Bibers auf jeder Saite.

 Der Bär möchte gern zum Bienenstock.
Hilf ihm und male einen Weg aus Steinen und Bäumen in den Fluss.
Wie klingt dieser Weg? Zupfe ihn auf einer Saite.

Du kannst Steine und Bäume als Noten aufschreiben.

Stein = Viertelnote

Baum = halbe Note

Ü - ber Stei - ne   bis zum Baum,   das geht gut,   wie im Traum.

Denke dir einen eigenen Weg aus und schreibe ihn dieses Mal mit Noten auf. Spiele deinen Weg.

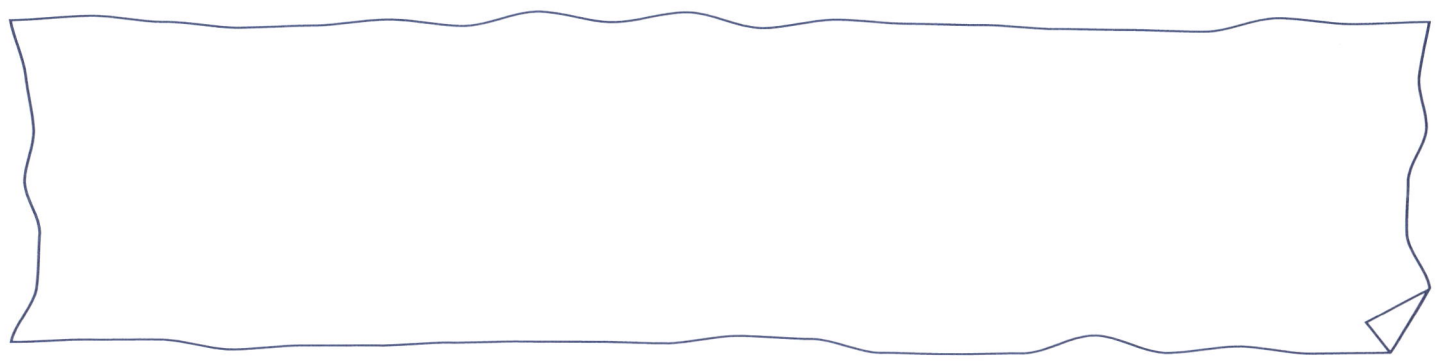

Für die Noten gibt es eine Geheimsprache.

Die ♩ heißt ta, die ♩ heißt ta-o.

Du kannst jedes Lied auch mit der Geheimsprache singen.

ta ta ta ta ta ta ta-o   ta ta ta-o   ta ta ta-o
Ü - ber Stei - ne bis zum Baum,   das geht gut,   wie im Traum.

Die ersten Lieder

Die D-Saite und die A-Saite sind die beiden

mittleren Saiten auf der Geige.

g   **d**   **a**   e

Male ein Tier, das mit dem Buchstaben D beginnt.
Vielleicht findest du auch ein Foto zum Einkleben.

Male hier ein Tier,
das mit dem Buchstaben A beginnt.

Liebe Mama

 Zupfe dein erstes Lied mit der D- und der A-Saite:

D   D   D   D   A   A   A   A   A   A   A   D   D   D

Lie - be   Ma - ma,   hör   mal   an,   was   ich   auf   der   Gei - ge   kann!

**Probiere auch andere Saiten und andere Namen aus, zum Beispiel:
„Lieber Papa", „liebe Oma", „lieber Niklas".
Spiele das Lied auch für deine Freundinnen und Freunde aus der Schule.**

Das Lied „Liebe Mama" in Geheimsprache:

ta   ta   ta   ta   ta   ta   ta-o   ta   ta   ta   ta   ta   ta   ta-o

 **Schreibe Viertelnoten und halbe Noten
unter die Silben der Geheimsprache.**

Das Notenhaus

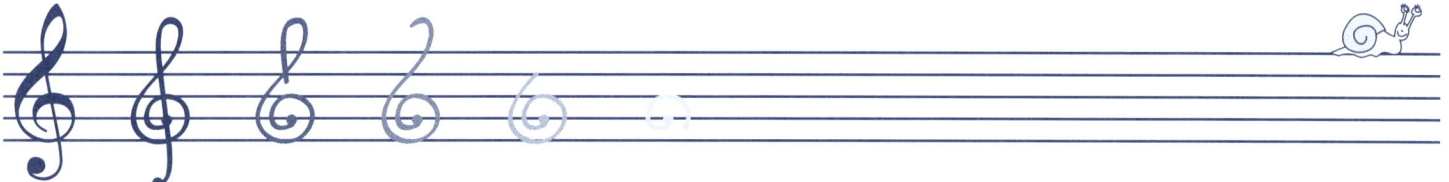

Am Anfang einer Zeile steht immer ein Notenschlüssel.

Dieser 𝄞 heißt Violinschlüssel.

 Zeichne den Notenschlüssel. Beginne in der Mitte.

 Singt zusammen dieses Lied:

Töne klettern

Text: Luise Schroeter

Tö - ne klet-tern auf der Lei - ter Schritt für Schritt bis ganz hi - nauf.

Auf den Li - nien und da -zwi-schen schrei-be ich die No - ten auf.

So werden die Töne für die
A- und die D-Saite aufgeschrieben:

a

d

 Kreise in dem Lied „Töne klettern" auf Seite 8 diese Töne ein.
Schreibe sie in das Notenhaus.

Wenn ich einmal groß bin

Melodie und Text: Marianne Petersen

Wenn ich ein - mal groß bin, kauf ich mir ein Hünd - chen,

geh da - mit spa - zie - ren, je - den Tag ein Stünd - chen.

 Erfinde Strophen mit anderen Tieren.
Zum Beispiel: „Wenn ich einmal groß bin, kauf ich mir 'nen Hasen..."
Was reimt sich?

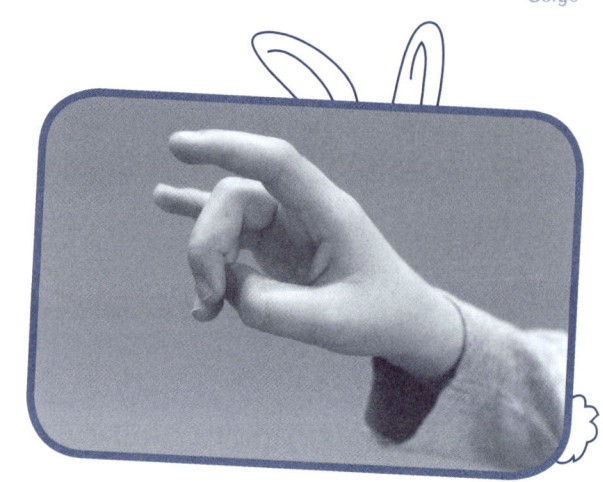

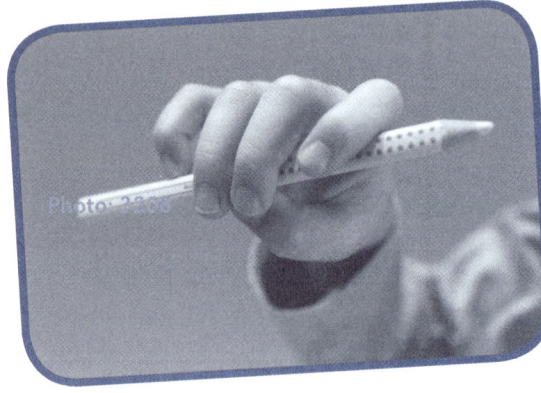

Der Hase – Teil 1

Forme mit deiner rechten Hand ein Häschen.
Achte darauf, dass die oberen „Zähne" über
dem Daumen liegen.
Kannst Du mit den „Ohren" wackeln?

Das Häschen knabbert gern an einer Möhre.
Nimm dafür einen Stift. Der Daumen wird rund mit
der Spitze aufgesetzt. Das Häschen wird müde und
legt seine „Ohren" auf die „Möhre". Das „kleine Ohr"
erreicht mit der Spitze gerade den Stift,
das „große Ohr" legt sich müde über den Stift.

In jeden Eisenbahnwagen passen vier Steine.
Zeichne die fehlenden Steine.

$\frac{4}{4}$ in der Lokomotive bedeutet,

dass in jeden Wagen vier Viertelnoten passen.

Zeichne die fehlenden Viertelnoten.

Durcheinander

Melodie und Text: Luise Schroeter

Ich hab ei - nen Sa - la - man - der, der heißt Pe - ter A - le - xan - der.

Wenn ich spie - le, klatscht er Bei - fall und bringt mich ganz durch- ei - nan - der!

 Überlege dir einen Gegenstand, der mit dem Buchstaben G beginnt und male ihn:

 Die G-Saite ist die dickste Saite auf der Geige

g   d   a

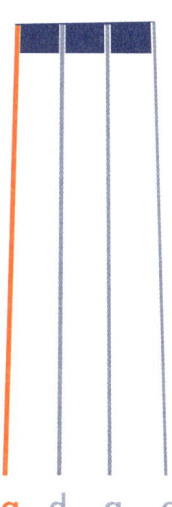

g d a e

Das Lied „Durcheinander" könnt ihr auch auf der G- und der D-Saite spielen.
Lest euch gegenseitig das Lied mit den Tonnamen vor, bevor ihr spielt.

Durcheinander

Melodie und Text: Luise Schroeter

Ich hab ei - nen Sa - la - man - der, der heißt Pe - ter A - le - xan - der.

Wenn ich spie - le, klatscht er Bei - fall und bringt mich ganz durch- ei - nan - der!

Mit dem Bogen

① Spitze, ② Frosch, ③ Schraube, ④ Bogenhaare, ⑤ Bogenstange

Vor dem Spielen wird der Bogen mit der Schraube gespannt.
Nach dem Spielen muss er immer entspannt werden.

Der Hase – Teil 2

Heute darf das Häschen an der Bogenstange knabbern. Halte den Bogen zusätzlich mit der linken Hand fest.

Auch die „Ohren" legen sich auf die Bogenstange. Fertig ist die Bogenhaltung.

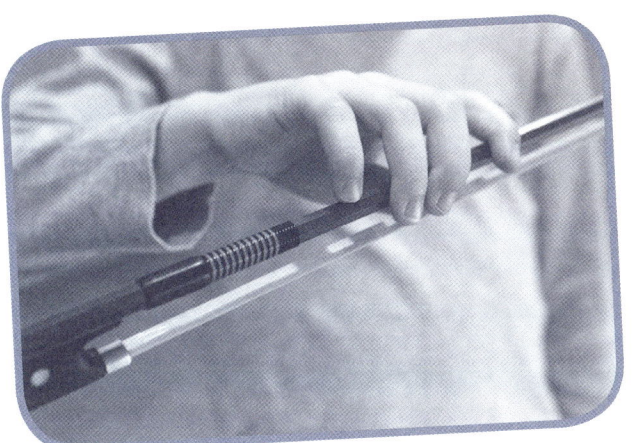

hohe Bogenhaltung

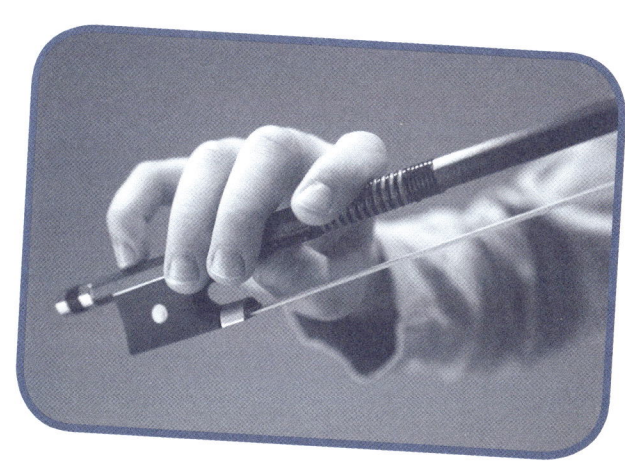

normale Bogenhaltung

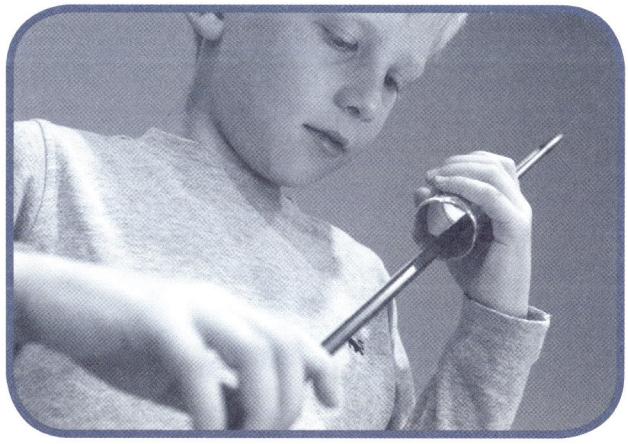

Halte statt der Geige eine Papprolle und streiche mit dem Bogen hindurch – wie ein Zug, der durch einen Tunnel fährt. Spiele die Lieder, die du schon kennst, in der Papprolle.

Brücken baut der Biber

Text: Simone Weis

Brü - cken baut der   Bi - ber   lie - ber   als der gro - ße   brau - ne Bär.

 Spiele dieses Lied auf allen Saiten mit dem Bogen.

 Fülle die Eisenbahnwagen mit Steinen und Bäumen.

 Fülle die Eisenbahnwagen mit halben Noten und Viertelnoten.

Was ich tu

Text: überliefert

Was ich tu ganz in Ruh' und mit Mut, das wird gut!

Streiche dieses Lied zuerst in der Papprolle.
Dann lass deine Geige klingen!

 Schreibe das Lied in Geheimsprache auf und singe es.

Lege deinen Bogen auf die G-Saite. Schwinge deinen Arm abwärts,
wie ein Vogel seinen Flügel, bis der Bogen auf der E-Saite liegt – schwinge
wieder zurück zur G-Saite.

Dieses Lied kannst du nun auch schon streichen.

Wenn ich einmal groß bin

Melodie und Text: Marianne Petersen

Spiele das Lied auch auf der G- und der D-Saite.

Melodie und Text: Marianne Petersen

 Die E-Saite ist die dünnste Saite auf der Geige.

g d a **e**

 Und welches Tier passt hierzu? Finde einen Reim.

Melodie und Text: Marianne Petersen

Wenn ich ein - mal groß bin, kauf ich mir ein ....,

geh da - mit spa - zie - ren ... ...

 Welches Lied ist das? ....
Schreibe die Noten über die Geheimsprache.

ta ta ta ta ta-o ta-o ta ta ta ta ta-o ta-o

ta ta ta ta ta-o ta-o ta ta ta ta ta-o ta-o

Notenrätsel

 Schreibe die Namen der Noten der Reihe nach auf die freien Striche.

So heißen die ...

S   I   T   N   R   I

 Dieses Lied könnt ihr zusammen singen:

Jeder spielt, so gut er kann

Text und Melodie: Gunild Keetman, Carl Orff

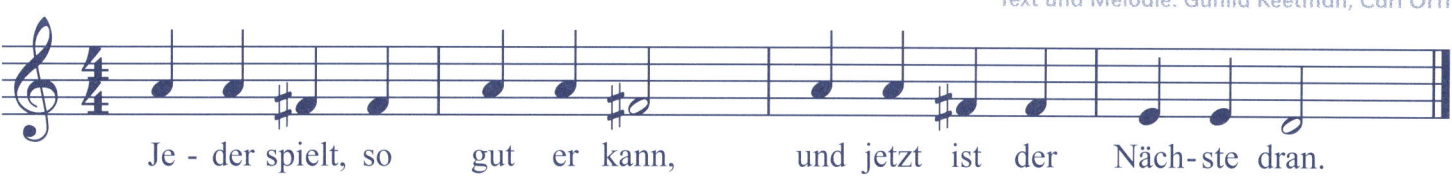

Je - der spielt, so   gut er kann,   und jetzt ist der   Näch-ste dran.

Spiele zu dem Lied eine gezupfte Begleitung auf der D- und A-Saite.

Tutti (italienisch) bedeutet „alle" oder „zusammen".

Solo (italienisch) bedeutet „alleine" oder „einzeln".

Erstes Konzert

 Im ersten Konzert darf jedes Kind das „Durcheinander" einmal solo spielen.
Dazwischen singen und zupfen alle „Jeder spielt, so gut er kann"

Durcheinander

Melodie und Text: Luise Schroeter

Ich hab ei - nen Sa - la - man - der, der heißt Pe - ter A - le - xan - der.

Wenn ich spie - le, klatscht er Bei - fall und bringt mich ganz durch - ei - nan - der!

 Fülle die leeren Wagen mit Viertelnoten und halben Noten.

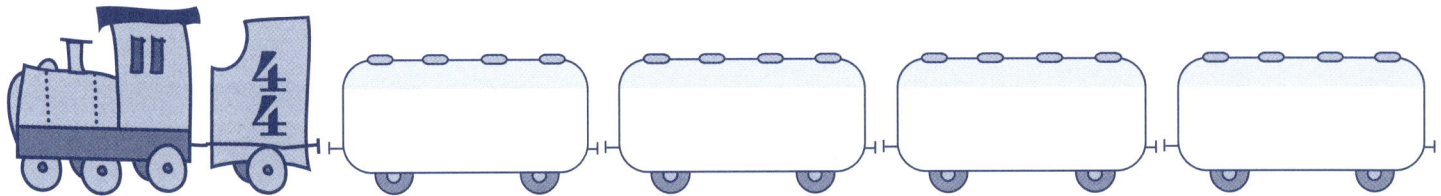

 **Wippe an verschiedenen Stellen des Bogens zwischen den Saiten hin und her.
Welche Armbewegung passt zu welchem Vogel?**

Spiele das Lied „Liebe Mama" von Seite 7 jetzt mit dem Bogen
und schreibe hier die Noten auf:

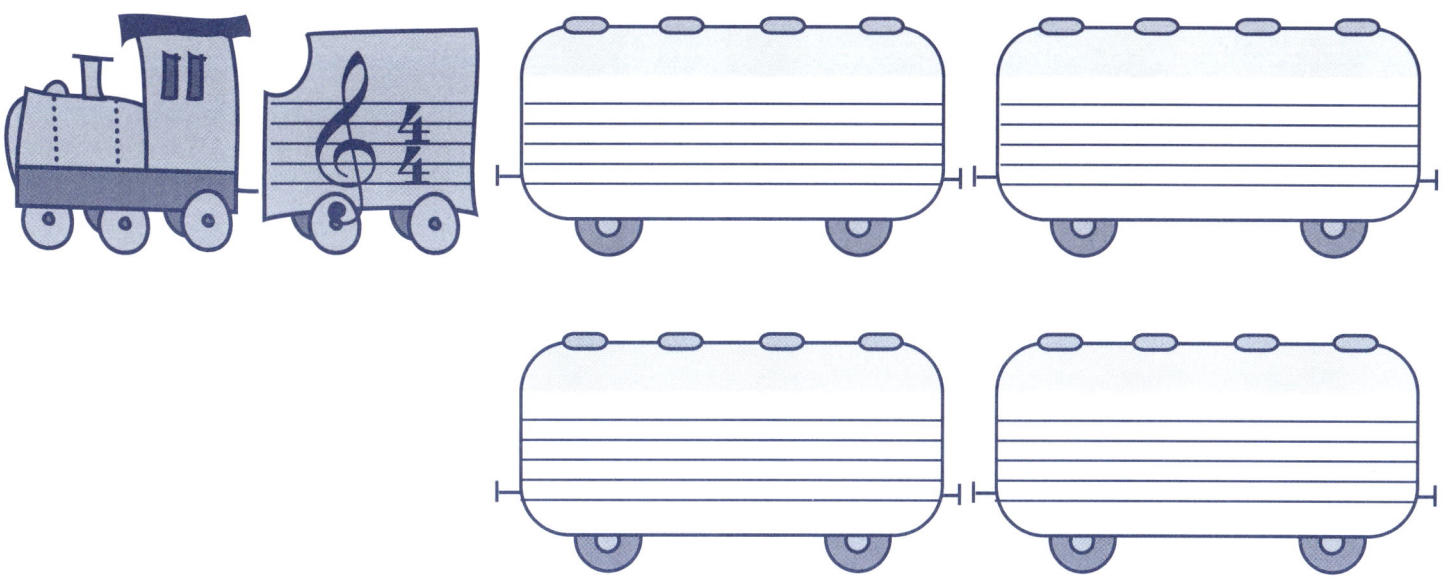

Kleiner Wurm

 Schreibe die Wörter der Geheimsprache über die Noten in das Lied.
Spielt dieses Lied auch solo und tutti.

Melodie und Text: Anja Elsholz

Klei - ner Wurm   auf dem Turm   sitzt dort o - ben   mun - ter,

spuckt auf an - dre   run - ter!

Autobahn

Auf der gro-ßen Au-to-bahn seh' ich vie-le Au-tos fahr'n:

Hin und her, viel Ver-kehr, da fährt auch die Feu-er-wehr.

Melodie und Text: Luise Schroeter

Auf der gro-ßen Au-to-bahn seh' ich vie-le Au-tos fahr'n:

Viel zu schnell, kri-mi-nell, fährt ein al-tes Schrott-mo-dell.

Was fährt auch noch auf der Autobahn?

Auf der gro-ßen Au-to-bahn seh' ich vie-le Au-tos fahr'n:

... ... da fährt auch ... ...

Rhythmus auf der Ritterburg

Schreibe oder male deine Ideen in die freien Felder.
Überlegt euch eine Reihenfolge und spielt eure Geschichte.

„Du bist in meiner Burg. Welche Geräusche und Klänge hörst du? Mache sie auf deinem Instrument nach."

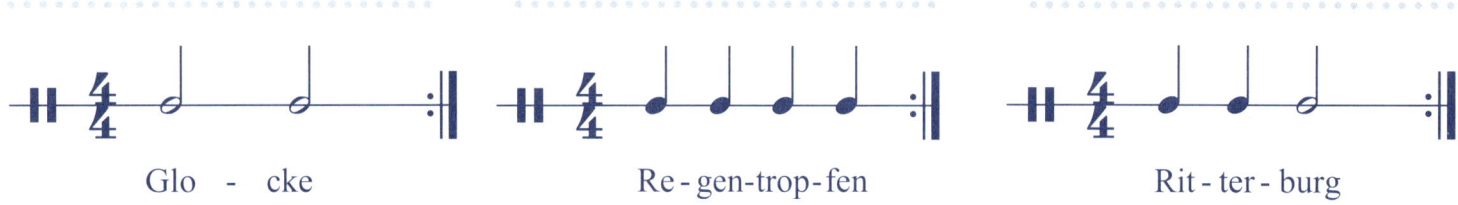

Das Wiederholungszeichen :| zeigt dir:

Spiele das Stück wieder von vorn.

Schreibe über jeden Rhythmus die Geheimsprache.

Glo - cke

Re - gen-trop-fen

Rit - ter - burg

Spiele diese Rhythmen mit dem Bogen in der Papprolle.
Benutze für die halben Noten viel Bogen, für die Viertelnoten weniger Bogen.

Geister spuken durch die Nacht

Melodie und Text: Anja Elsholz

Geis - ter spu - ken durch die Nacht, heu - len grus - lig, ei - ner lacht,

spu - ken in dem al - ten Turm, heu - len lau - ter als der Sturm.

Glo - cke

Re - gen -trop - fen

Rit - ter - burg

Auch deine Geräusche von der Ritterburg können das Lied begleiten.

Bruder Jakob

 Ihr kennt bestimmt das Lied „Bruder Jakob". Singt es zusammen.
Ihr könnt euch dabei auf der Geige begleiten:

Das Lied kommt aus Frankreich und
wird auf der ganzen Welt in vielen Sprachen gesungen.

in Deutschland:
Bruder Jakob, Bruder Jakob,
schläfst du noch, schläfst du noch?
Hörst du nicht die Glocken, hörst du nicht die Glocken?
Ding, dang, dong, ding, dang, dong.

in der Türkei:
Tembel çocuk, tembel çocuk,
Haydi kalk, haydi kalk!
Artık sabah oldu, artık sabah oldu,
Gün doğdu, gün doğdu.

Kennst du das Lied noch in einer anderen Sprache?

Achtung, Achtelnoten!

Die Achtelnote ♪ ist halb so lang wie die Viertelnote ♩.

Zwei hintereinander sehen so aus: ♫ .

Zusammen sind sie genauso lang wie eine Viertelnote ♩.

 Fülle die Wagen mit Achtelnoten.

Dein erstes Lied mit Achtelnoten:

Lauf, mein Pferdchen

Melodie und Text: Marianne Petersen

Lauf, mein Pferd - chen, lauf, mein Pferd - chen, zieh den Wa - gen,

Korn und Ha - fer woll'n wir gleich zur Müh - le tra - gen!

Wenn das Pferdchen den Wagen zieht, macht es langsame, gleichmäßige Schritte.

Zieh den Wa - gen, zieh den Wa - gen.

In der Geheimsprache heißt die Achtelnote ♪ ti.

Welcher Pferdewagen passt mit welchem Kästchen zusammen? Verbinde die Geheimsprache mit den passenden Noten.

Lauf, mein Pferdchen

Melodie und Text: Marianne Petersen

Lauf, mein Pferd-chen, lauf, mein Pferd-chen, zieh den Wa - gen,

Korn und Ha-fer woll'n wir gleich zur Müh - le tra - gen!

Lauf, mein Pferdchen

Melodie und Text: Marianne Petersen

Lauf, mein Pferd-chen, lauf, mein Pferd-chen, zieh den Wa - gen,

Korn und Ha - fer woll'n wir gleich zur Müh - le tra - gen!

Drei Viertelnoten im Takt

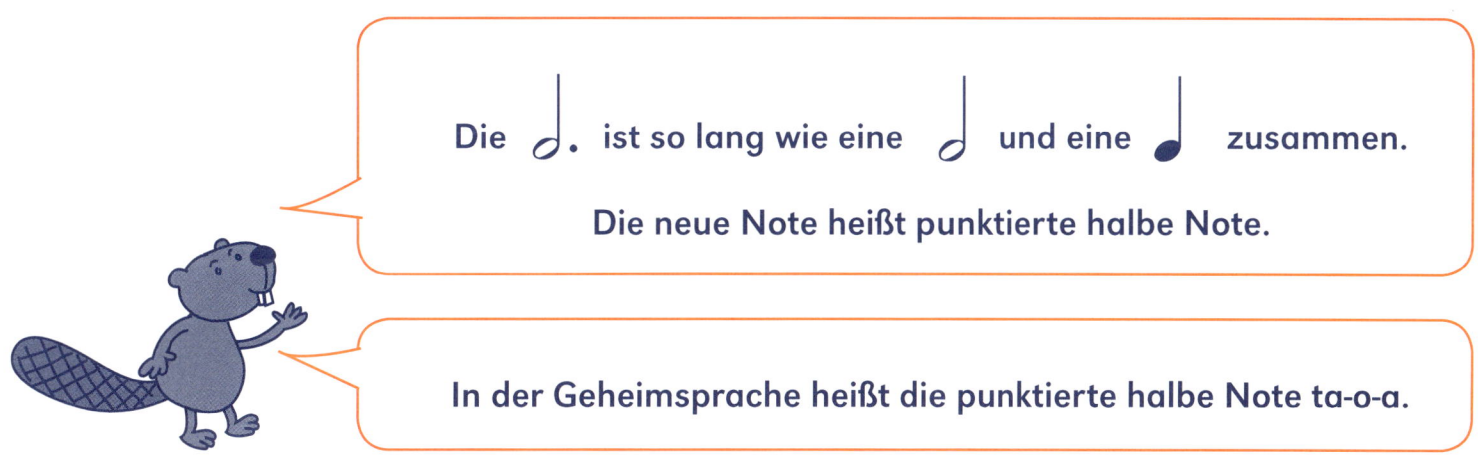

Die ♩. ist so lang wie eine ♩ und eine ♩ zusammen.

Die neue Note heißt punktierte halbe Note.

In der Geheimsprache heißt die punktierte halbe Note ta-o-a.

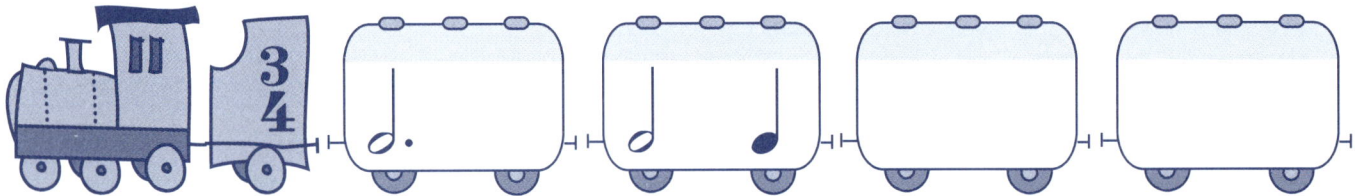

Das **3/4** in der Lokomotive bedeutet,

dass in jeden Wagen drei Viertelnoten passen.

Fülle die leeren Wagen mit Noten. Wenn alle Wagen gefüllt sind, schreibe die Geheimsprache über die Noten.

Der Regenbogen

Melodie und Text: Luise Schroeter

Siehst du die Far - ben? Komm hier - her und schau, was die

Son - ne ge - malt hat im Re - gen - grau!

In der Notenschrift heißen die Eisenbahnwagen Takte.

Zwischen den Takten ist ein Taktstrich |.

Am Anfang des Liedes steht, wie viele ♩ in einen Takt passen.

Fülle die Takte.

Laternenzeit

Kennst Du dieses Lied?
Spiele dazu die Begleitung mit drei verschiedenen Saiten.

Durch die Straßen

Melodie: Richard Rudolf Klein
Text: Lieselotte Holzmeister

1. Durch die Stra - ßen auf und nie - der leuchten die La - ter - nen wie - der.

Ro - te, gel - be, grü - ne, blau - e: Lie - ber Mar - tin, komm und schau - e!

2. Wie die Blumen in dem Garten
blüh'n Laternen aller Arten.
Rote, gelbe ...

3. Und wir gehen lange Strecken
mit Laternen an den Stecken
Rote, gelbe ...

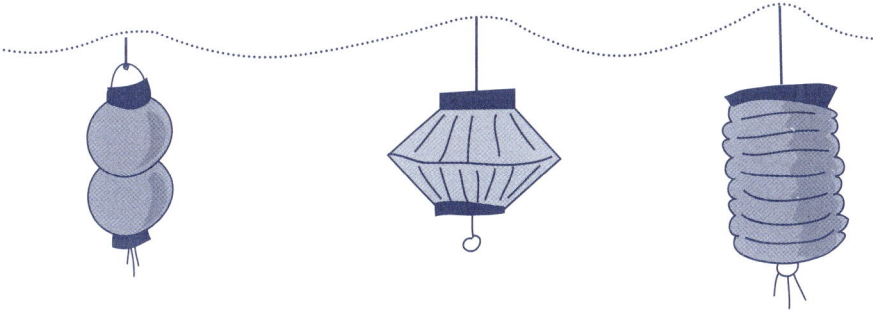

Wenn man die Noten verbindet, entsteht eine Straße über Hügel und Täler:

Denke dir selber eine „Straße" mit allen vier Saiten aus und schreibe sie hier auf. Spiele deine Straße!

In den dunklen Straßen

Melodie und Text: Norbert Koop

In den dunk - len   Stra – ßen   seh' ich vie - le   Lich – ter.

Al - le Kin - der   ha – ben   glück - li - che Ge – sich – ter.

Schreibe die Namen der Töne in die Laternen!

Übe das Lied ohne Noten, so dass du es im Dunkeln spielen kannst.

Beobachte beim Üben, wie dein Bogen zwischen den Saiten wechselt.

Zeit für Pausen

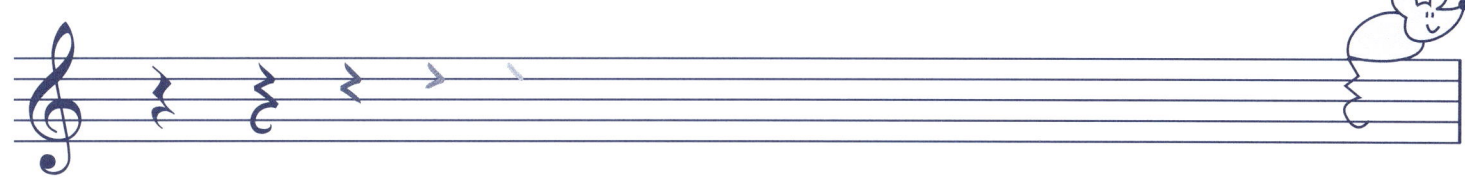

Die Viertelpause dauert so lange,

wie eine Viertelnote klingt.

Zeichne selber Pausen!

Wo sind denn die Noten?

Melodie und Text: Luise Schroeter

Wo sind denn die No - ten? Wur-den die ver - bo - ten?

Ich bin wirk-lich a - lar-miert! Wer hat sie weg - ra - diert?

Ach du Schreck! Sie sind weg!

**In diesem Lied fehlt in einigen Takten etwas.
An diesen Stellen müssen Viertelpausen stehen. Zeichne sie ein.**

In der Geheimsprache heißt die Viertelpause „still".

 # Rhythmusspiele

1. Sprecht die Rhythmen in der Geheimsprache;
solo, tutti oder verschiedene Rhythmen gleichzeitig.
2. Einer spricht und die anderen raten, welcher Rhythmus das war.

Lieder für den Bogen

Flugzeug

Heute lernt deine Bogenhand fliegen! Das Flugzeug (dein Bogen) steht auf der Startbahn, in der Nähe des Froschs. Streiche bis zur Spitze und hebe ab. Fliege einen Bogen und lande wieder am Frosch.

Das Zeichen ⊓ bedeutet Abstrich:

in Richtung Spitze streichen.

 Zeichne ein paar Abstrichzeichen:

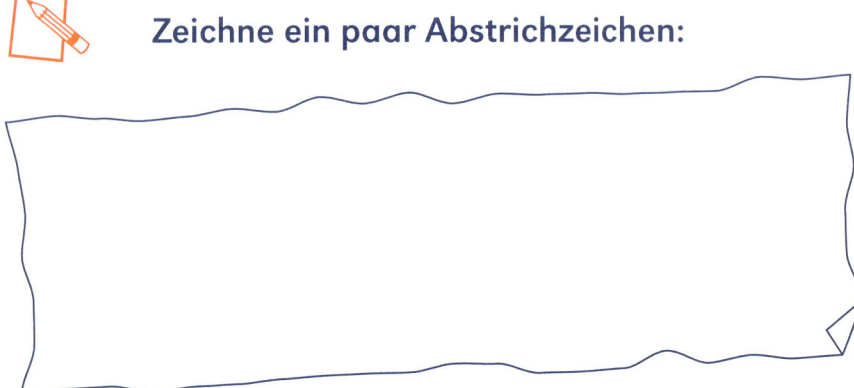

Bei diesem Lied fliegt dein Bogen in jeder Pause zum Frosch zurück:

Heute male ich

Melodie und Text: Barbara Stanzeleit
Bearbeitung: Norbert Koop

Heu - te ma - le ich ein gro - ßes Haus. Wer schaut o - ben aus dem Fens - ter raus?

Ist es Ma - ma o - der ei - ne Maus? Nein, es ist mein klei - ner Bru - der Klaus.

Schreibe über die Pausen das Wort still.

Rakete

Wir fliegen mit einer Rakete: Den Bogen an der Spitze auflegen,
bis zum Frosch streichen und dann abheben.
Das geht am besten auf der E-Saite.

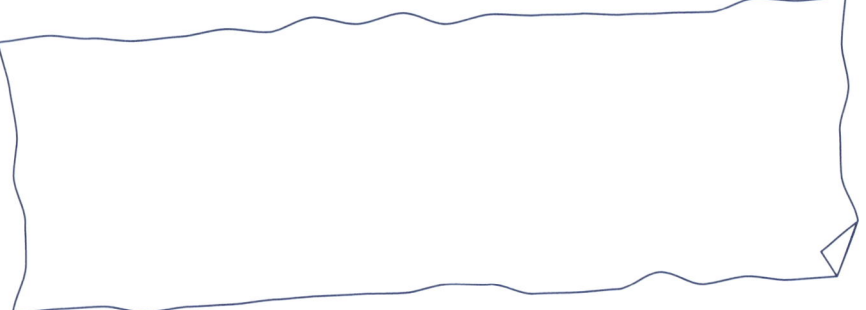

Das Zeichen V bedeutet Aufstrich:

in Richtung Frosch streichen.

 Zeichne ein paar Aufstrichzeichen:

Der Frosch

Spiele das Lied ganz nahe am Frosch und mit wenig Bogen.
Achte auf die Pausen.

Melodie und Text: Michael Dartsch

Hör dem Frosch zu: "Quak, quak!"   Er sagt: "Gu-ten   Tag,   quak!"

Die Spitze

Melodie und Text: Michael Dartsch

*laut, dazu
"Spitze" rufen!*

Heu-te spiel'n wir klit-ze-klei-ne   No-ten an der Spit-ze.   Spit-ze!

 Nimm für die Achtelnoten wenig Bogen.

 **Denke beim Wechsel auf die andere Saite an den Adlerflügel.**

Ganze Note – ganzer Bogen

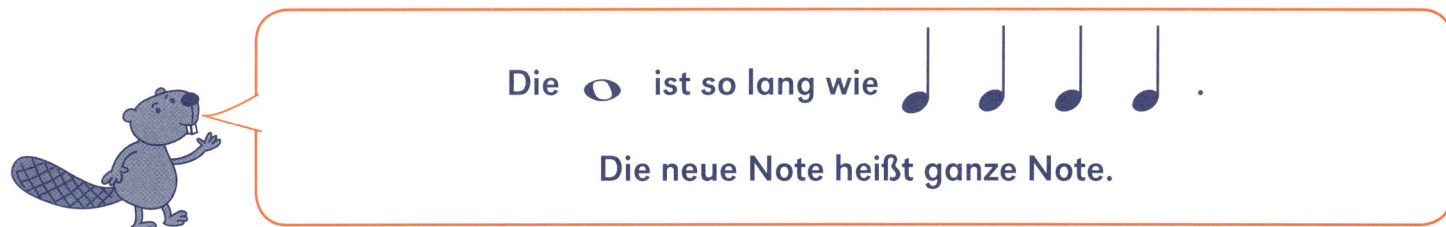

Die ○ ist so lang wie ♩ ♩ ♩ ♩ .

Die neue Note heißt ganze Note.

Fülle die leeren Wagen mit ganzen Noten.

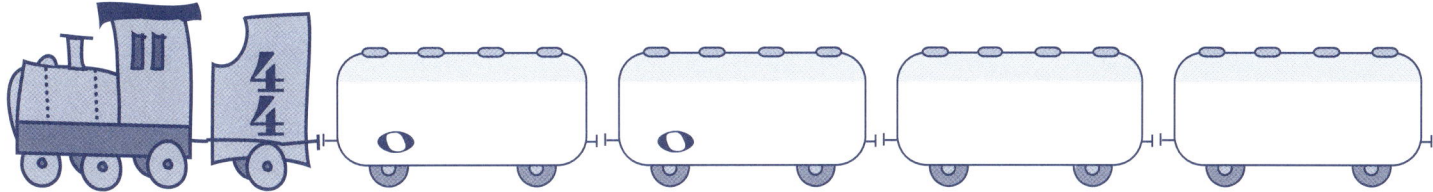

Starke Stürme gehen

Melodie und Text: Carolin Schröder

Star - ke Stür - me ge - hen, lei - se Win - de we - hen,

und der Wald wird kun - ter - bunt.

**Spiele am Anfang sehr stürmisch und dann sehr sanft.
Nimm für die letzte Note den ganzen Bogen.**

Schreibe die Geheimsprache als Noten auf die Linie.

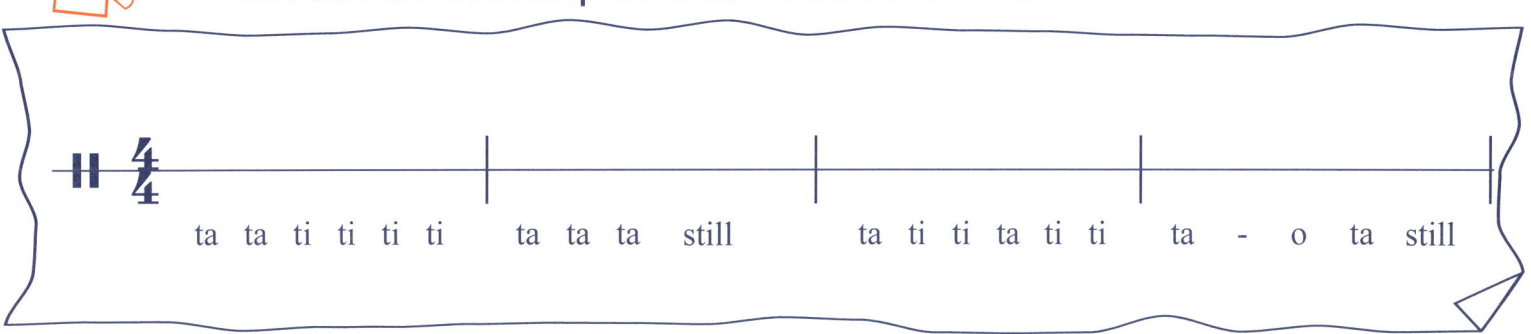

ta ta ti ti ti ti ta ta ta still ta ti ti ta ti ti ta - o ta still

Im Advent

 Achtung, dieses Lied fängt mit Aufstrich an, beginne in der oberen Hälfte des Bogens.

Ich kenne eine Eule

Melodie und Text: Anja Elsholz

Ich ken - ne ei - ne Eu - le, die sitzt auf ei - ner Säu - le, sie

treibt sich rum die gan - ze Nacht, was sie am Ta - ge mü - de macht.

 Spiele das Lied wie eine müde Eule am Morgen.
Spiele das Lied wie eine muntere Eule am Abend.
Abends fliegt die Eule munter los, aber dann wird sie langsam müde.
Wie klingt das?

In der Nacht sieht die Eule einen Mann von einem Haus zum anderen gehen – den Nikolaus! Was hat er wohl in seinem Sack? Die Eule hat es gesehen. Sie ruft:

Huuu, vie - le Nüs - se!

 Schreibe mit Noten auf, was die Eule noch in dem Sack gesehen hat.

**Die Begleitung in der oberen Notenzeile kannst du schon spielen.
Wenn jemand dazu das Lied singt, klingt es besonders schön.**

Lasst uns froh und munter sein

Melodie und Text: überliefert

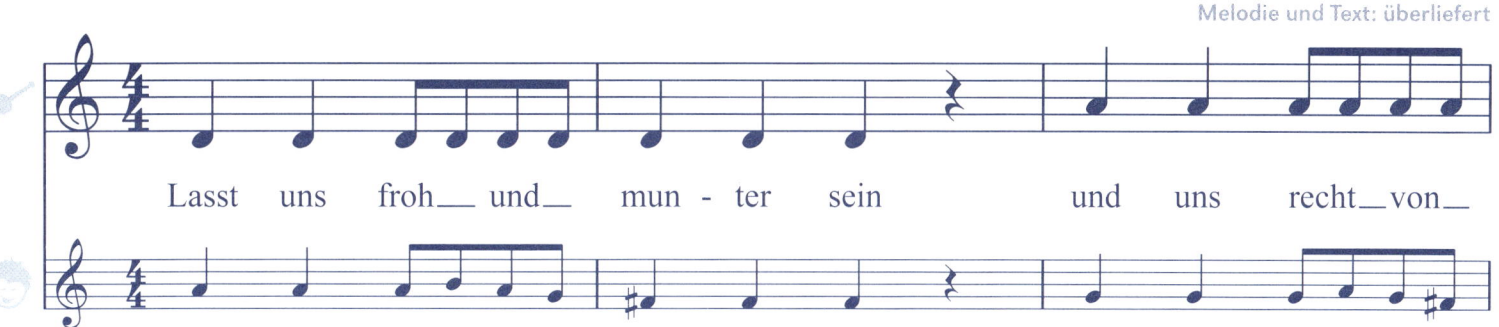

Lasst   uns   froh__ und__   mun - ter   sein   und   uns   recht__ von__

Her - zen freun!   Lus - tig,   lus - tig,   tra-le-ra-le-ra!   Bald   ist   Ni-ko-laus

a - bend   da,   bald   ist   Ni-ko-laus -   a - bend   da!

Morgen kommt der Weihnachtsmann

Melodie: aus Frankreich
Text: Hilger Schallehn

1. Mor-gen kommt der Weih-nachts-mann, kommt mit sei-nen Ga - ben.

Bun - te Lich - ter, Sil - ber - zier, Kind mit Krip-pe, Schaf und Stier,

Zot- tel - bär und Pan-ther-tier möcht ich ger-ne ha - ben.

2. Bring uns, lieber Weihnachtsmann, bring auch morgen, bringe
eine schöne Eisenbahn, Bauernhof mit Huhn und Hahn,
einen Pfefferkuchenmann, lauter schöne Dinge.

**Der Weihnachtsmann kommt mit seinem Schlitten im Schnee nur
langsam voran. Wie hört sich das an?
Wie klingt es, wenn der Schlitten auf Glatteis gerät?**

Spiele zwei Aufstriche hintereinander: Beginne an der Spitze,
halte den Bogen kurz an und streiche weiter im Aufstrich.
Es klingt, als ob du mit dem Bogen im Schnee stecken bleiben würdest.

In den Noten sieht das so aus: ⋁ ⋁

Ihr Kinderlein kommet

Melodie: Johann Abraham Peter Schulz (1747–1800)
Text: Christoph von Schmid (1768–1854)

1. Ihr Kin - der-lein kom - met, oh kom - met doch all!
Zur Krip - pe her kom - met in Beth - le-hems Stall.

Und seht, was in die - ser hoch - hei - li - gen Nacht

der Va - ter im Him - mel für Freu - de uns macht!

2. Da liegt es, das Kindlein, auf Heu und auf Stroh,
Maria und Joseph betrachten es froh.
Die redlichen Hirten knien betend davor,
hoch oben schwebt jubelnd der Engelein Chor.

Jingle Bells

Melodie und Text: James Lord Pierpont (1822–1893)

Jin - gle bells,   jin - gle bells,   jin - gle all the way.

Oh, what fun it is to ride in a   one - horse o - pen sleigh,   hey!

Jin - gle bells,   jin - gle bells,   jin - gle all the way.

Oh, what fun it is to ride in a   one - horse o - pen sleigh!

deutscher Text: Simone Weis

Jingle bells, jingle bells, tönt es überall.
Oh, so schön ist Schlittenfahren, hört den frohen Schall, ja!
Jingle bells, jingle bells, durch die weiße Welt.
Oh, so schön ist Schlittenfahren, wie es mir gefällt.

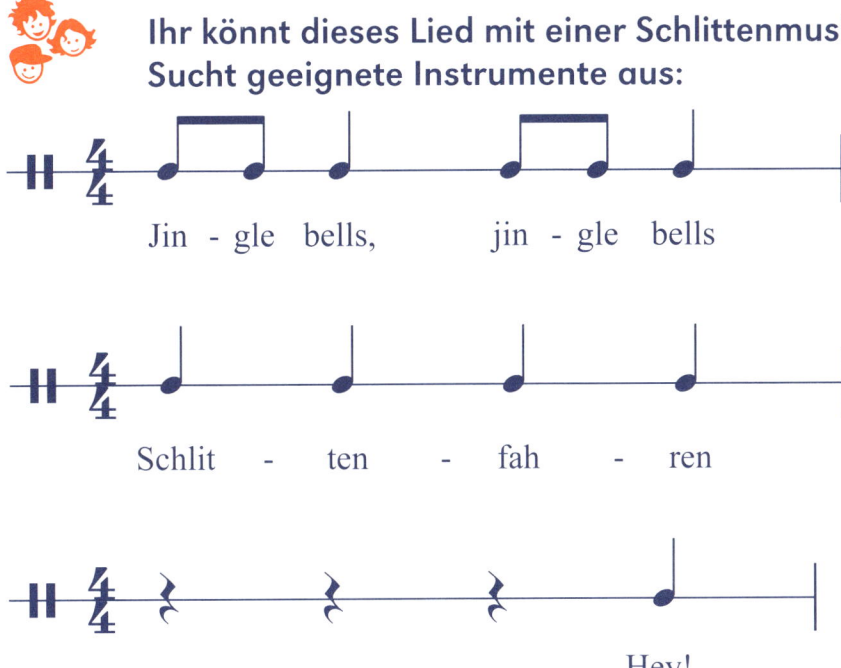

Ihr könnt dieses Lied mit einer Schlittenmusik begleiten.
Sucht geeignete Instrumente aus:

Jin - gle bells, jin - gle bells

Schlit - ten - fah - ren

Hey!

Das Lied kommt aus Amerika. Es erzählt von einer Fahrt
mit einem Pferdeschlitten durch den Schnee.

Klanggeschichte: Eine Reise im Winter

Schaut euch das Bild an. Erfindet Klänge und Töne zu den Wörtern.
Erzählt damit eine Geschichte.

Die linke Hand

Wie viele Finger hast du an der linken Hand?
Der Daumen spielt nicht mit und wird deshalb auch nicht mitgezählt.
Der Zeigefinger ist der 1. Finger.

Male hier eine Linie um deine linke Hand und
schreibe die Zahlen an die Finger.

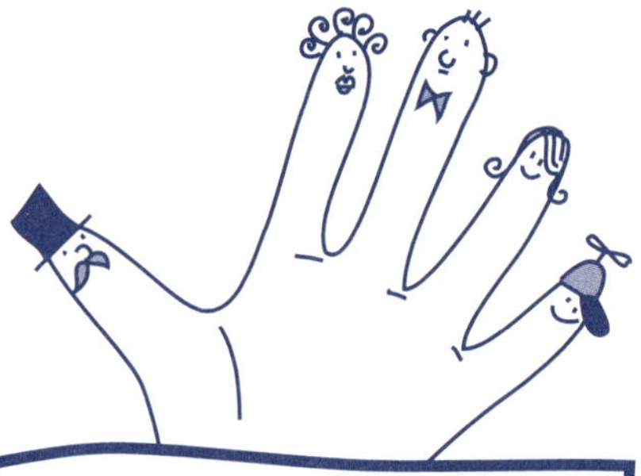

Nimm deine Geige wieder in Ruhestellung und lege deine Hand wie auf dem Foto an den Hals der Geige.

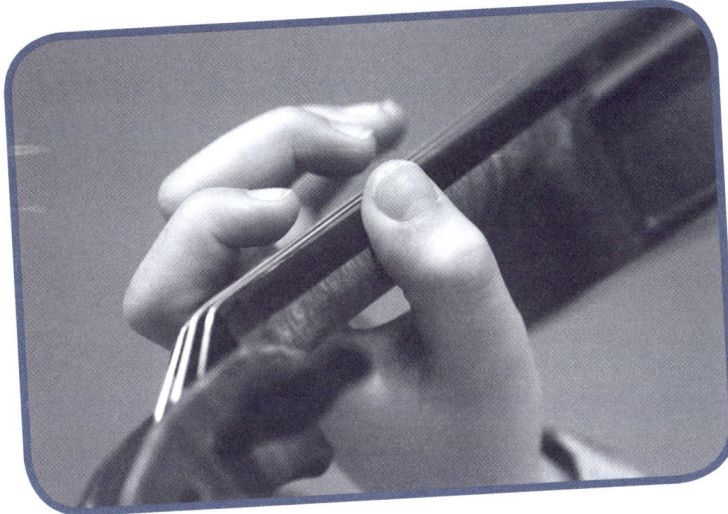

Setze alle drei Finger auf der D-Saite auf.
Der 3. und 2. Finger liegen dicht nebeneinander,
der 1. Finger ist ein Stück entfernt.

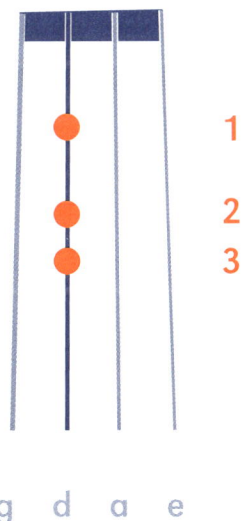

g   d   a   e

Zupfe die D-Saite. Die Saite klingt nun anders.
Zupfe abwechselnd den neuen Ton und die G-Saite.
Die Töne klingen ähnlich und haben auch den gleichen Namen: G

Hier sind die Töne auf der D-Saite aufgeschrieben:

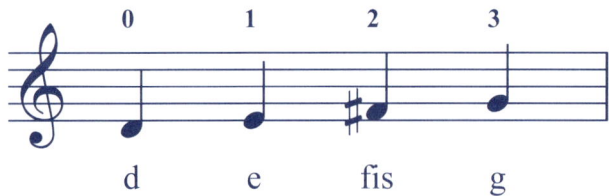

Null und drei

Null und drei,   null und drei,   da ist gar nicht   viel da - bei.

Beginne das Lied auch auf der D- oder A-Saite.
Auf welcher Saite musst du die Finger aufsetzen?

Regenmusik

Regen kann sehr unterschiedlich sein: Manchmal regnet es sanft,
manchmal stark oder es sind einzelne Tropfen zu hören.

 Spiele auf der Geige eine Regenmusik.
Lasst es in der Gruppe unterschiedlich regnen,
zum Beispiel einzelne Tropfen und dann
einen starken Regen oder jeder einen anderen Regen.

Regenlied

Melodie und Text: Rainer Butz

Hört die Re - gen - trop - fen, die an's Fens - ter klop - fen:

Dip,   dap,   dip dip dap,   dip,   dap,   dip dip dap.

Vor und nach dem Lied passen auch die Regengeräusche sehr gut.

Schreibe hier die Namen der beiden
Töne des Regenliedes auf:

 Schreibe die Tonnamen unter die Noten:

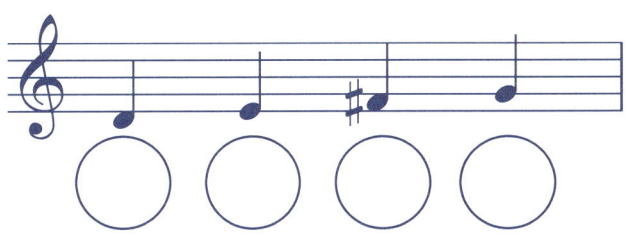

Wiederhole die ersten Takte von „Null und drei" auf Seite 42 .
Achte auf den Klang des 3. Fingers.

Fischer an der Elbe

Melodie und Text: Norbert Koop

Ger - ne geht der   Fi - scher fi - schen   ein - sam an der   El - be.

 Kreise die Wörter ein, die mit g, fis oder e anfangen.

 Lade die Noten in die Eisenbahnwagen.
Schreibe nach dem Verladen die Geheimsprache über die Noten.

Tiere und Töne für die Geige

Wer schleicht nachts

Melodie und Text: Luise Schroeter

1. Wer schleicht nachts um un - ser Haus? Sind das wohl die Kat - zen,

die da ra-scheln im Ge-büsch und am Fens-ter krat - zen?

2. Wer rennt nachts um unser Haus? Sind das wohl die Ratten,
die da flitzen im Gebüsch und im dunklen Schatten?

 **Wie klingt es, wenn eine Katze schleicht oder eine Ratte rennt?
Erfinde weitere Strophen:**

Wer geht nachts ...?
Wer fliegt nachts ...?

Wie sollen sie gespielt werden?
Vielleicht fallen dir dazu Geräusche und Töne ein.

 **Jede Maus kann nur in ihr Mauseloch,
wenn sie den Namen der Note sagt.**

Wenn die Vögel traurig singen

Melodie und Text: Norbert Koop

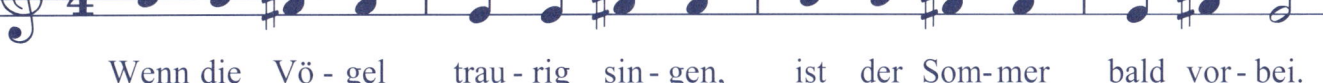

Wenn die Vö - gel   trau - rig sin - gen,   ist der Som - mer   bald vor - bei.

 Ab und zu musst du hier den Ton  spielen.

Wie heißt er? ....
Zeichne im Lied jeweils einen Kreis um diese Note.

 Diese Begleitungen passen zu dem Lied der traurigen Vögel.

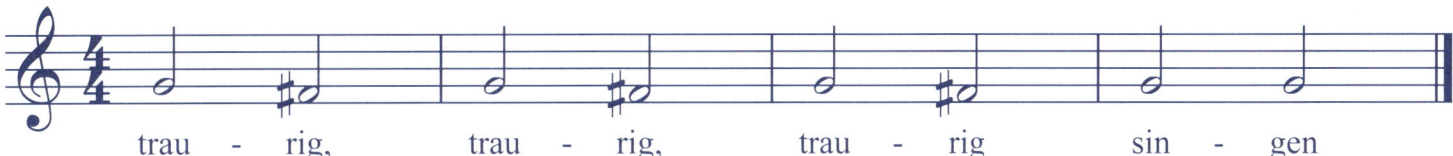

trau - rig,   trau - rig,   trau - rig   sin - gen

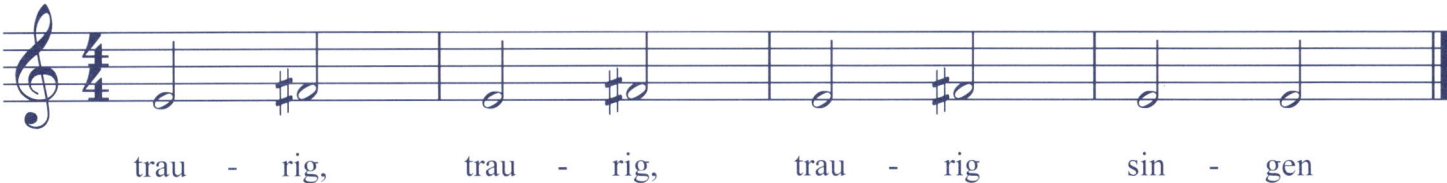

trau - rig,   trau - rig,   trau - rig   sin - gen

Im Frühling singen die Vögel eine andere Melodie.

Wenn die Vögel fröhlich singen

Melodie und Text: Norbert Koop

Wenn die Vö - gel fröh - lich sin - gen, ist der Win - ter bald vor - bei.

 **Diese Begleitungen passen zu dem Lied der fröhlichen Vögel.**

fröh - lich, fröh - lich, fröh - lich, fröh - lich, fröh - lich, fröh - lich sin - gen

fröh - lich, fröh - lich, fröh - lich, fröh - lich, fröh - lich, fröh - lich sin - gen

Spiele das Lied auf allen Saiten.

Jetzt brauchst du Ausdauer, denn es kommen viele schnelle Töne.

Ich lauf gerne

Melodie und Text: Norbert Koop

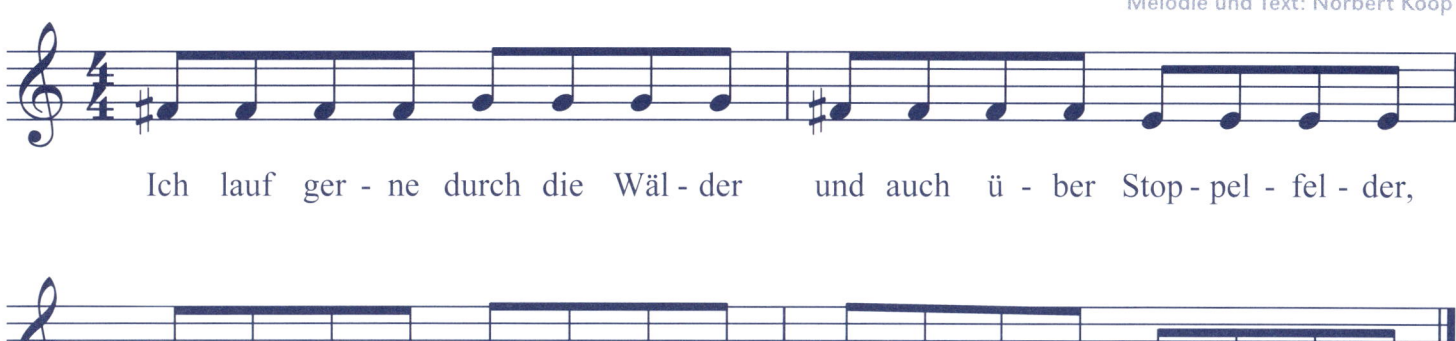

Ich lauf ger - ne durch die Wäl - der und auch ü - ber Stop - pel - fel - der,

da - bei bleib ich manch - mal ste - hen, denn ich kann dort Tie - re se - hen.

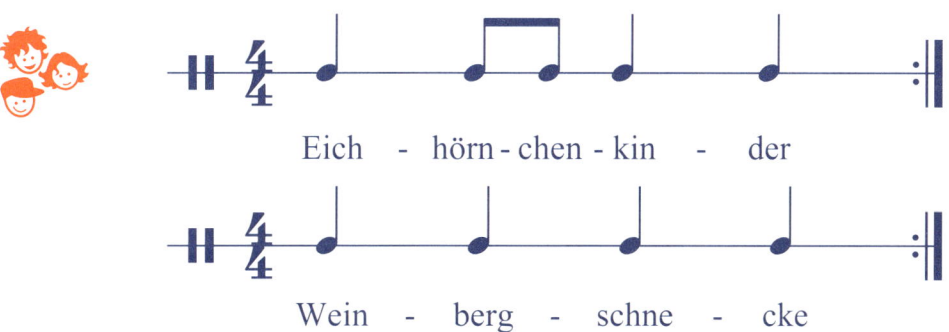

Eich - hörn - chen - kin - der

Wein - berg - schne - cke

Welches Tier hast du im Wald oder auf den Feldern gesehen? Spiele das Geräusch oder den Namen des Tieres auf der Geige und beginne wieder von vorn.
Spiele das Lied auf allen Saiten.

Bildgeschichte „Spuren"

Schaut euch die Bilder an und denkt euch eine Geschichte dazu aus.
Welche Klänge und Töne passen zu den Tieren? Und wie klingt der Zoowärter?

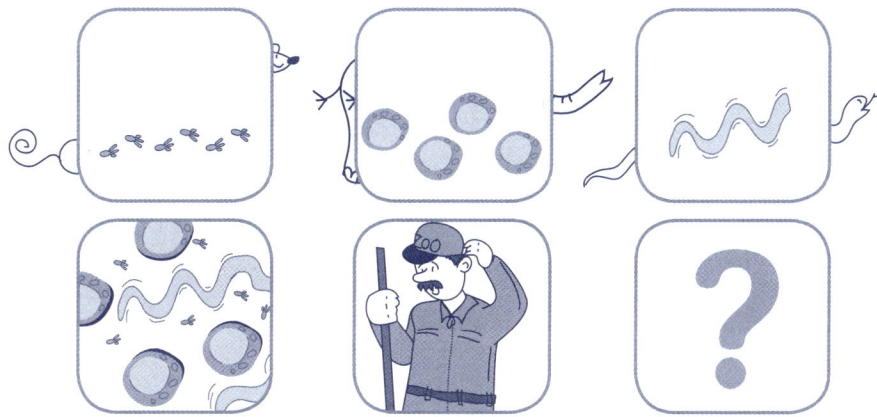

Regenlied

Melodie und Text: Rainer Butz

Hört die Re - gen - trop - fen, die ans Fens - ter klop - fen:

dip, dap, dip dip dap, dip, dap, dip dip dap.

Dieses Lied ist die Begleitung zum Lied auf Seite 42.
Es klingt sehr ähnlich. Spielt beide Lieder zusammen.

Schreibe die Geheimsprache über die Noten im Lied.
Was schreibst du über der Pause?
Singt das Lied in Geheimsprache.

Kreise die Wagen ein, die zur $\frac{3}{4}$-Lokomotive passen.

Dieses Lied steht im 3/4-Takt.   Wie lang ist diese Note: ♩. ?

Goldene Äpfel

Melodie und Text: Norbert Koop

Gol - de - ne   Äp - fel,   die   hän - gen   am   Baum.

Mit   die - ser   Lei - ter   da   woll'n   wir   sie   klau'n!

oder:

So schreibt man das Lied auf, wenn du es auf der A-Saite spielst:

Goldene Äpfel

Melodie und Text: Norbert Koop

Gol - de - ne   Äp - fel,   die   hän - gen   am   Baum.

Mit   die - ser   Lei - ter   da   woll'n   wir   sie   klau'n!

Wie klingt das Lied auf der G-Saite oder der E-Saite?
Spiele es ohne Noten auf diesen Saiten.

Elefant

Melodie und Text: überliefert

E - le - fant,   E - le - fant,   ist dem Wär - ter   weg - ge - rannt.

Fangt ihn ein,   fangt ihn ein,   bringt ihn in den   Zoo hi - nein.

 So klingt der Wärter, der den Elefanten fangen will:

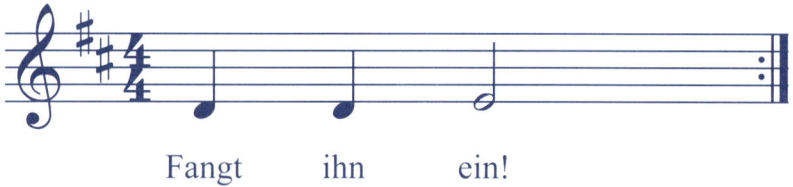

Fangt   ihn   ein!

Achtung: Am Ende wird der Elefant gefangen, alle spielen die D-Saite.

Ein zweiter Wärter kommt dazu:

Fangt   ihn   ein!

Wie klingen die beiden Wärter zusammen?

Die Wärter müssen rennen!

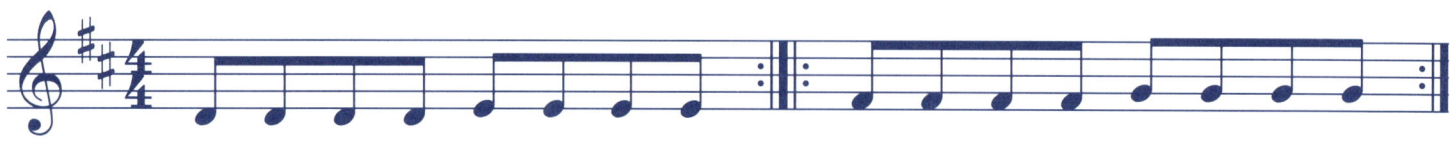

Al - le Wär - ter müs - sen ren - nen!   Al - le Wär - ter müs - sen ren - nen!

Zwei Viertelnoten im Takt

Das $\frac{2}{4}$ -Zeichen in der Lokomotive bedeutet,

dass in jeden Wagen zwei Viertelnoten passen.

Fülle die Lücken mit Viertelnoten.

Wenn es noch mal

Melodie und Text: Luise Schroeter

1. Wenn es noch mal schnei-en wür-de, ach, wie wär' das schön:

Schnee-ball-schlacht, ski - fahr'n, ro-deln möcht' ich geh'n!

2. Wenn doch bald die Sonne schiene, ach, wie wär das schön:
Erdbeereis, Fußball, spielen möcht ich geh'n!

Spiele die Begleitung und achte auf den Rhythmus.

Wenn es noch mal schnei-en wür-de, ach, wie wär' das schön:

Schnee-ball-schlacht, ski - fahr'n, ro - deln möcht'ich geh'n!

Schreibe die Geheimsprache über die Noten im Lied.
Singt das Lied auch mit Geheimsprache.

 Mit welchem Buchstaben beginnen die verschiedenen Lebensmittel? Verbinde mit den richtigen Noten.

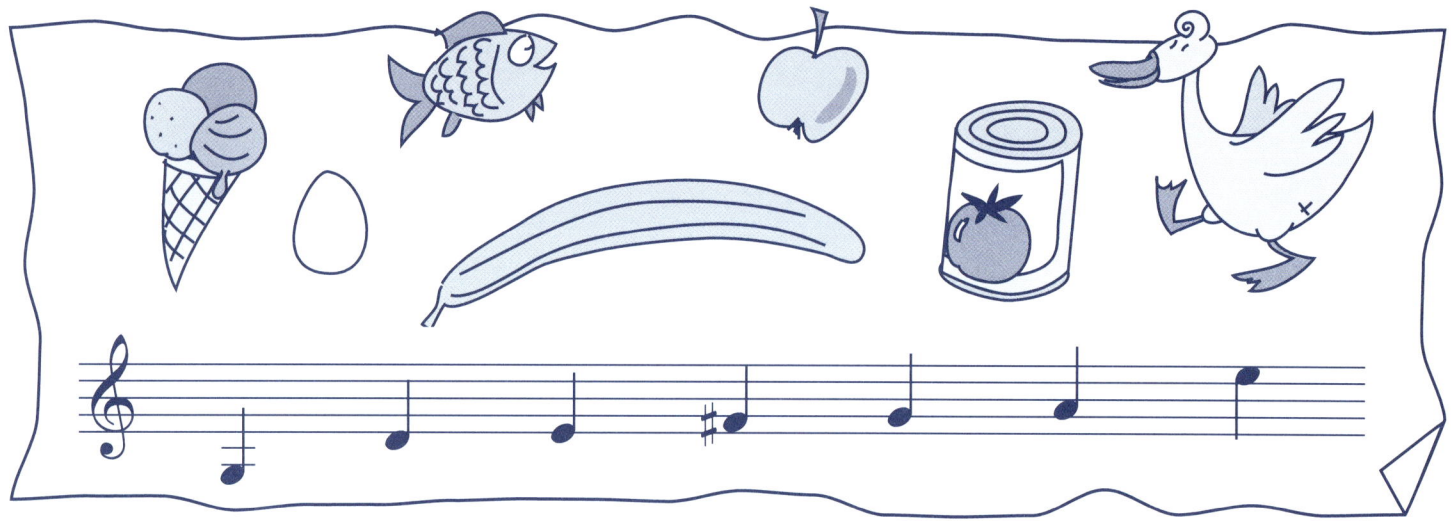

Mein Lieblingsessen

Melodie und Text: Luise Schroeter

Heu - te koch ich Es - sen, bin ge - spannt, wie das wohl schmeckt.

Seht nur mei - ne Sup - pe und was al - les in ihr steckt!

 Spielt diese vier leckeren Dinge nacheinander und auch gleichzeitig. Wer spielt welches Essen? „Schmeckt" das Ergebnis euren Ohren gut?

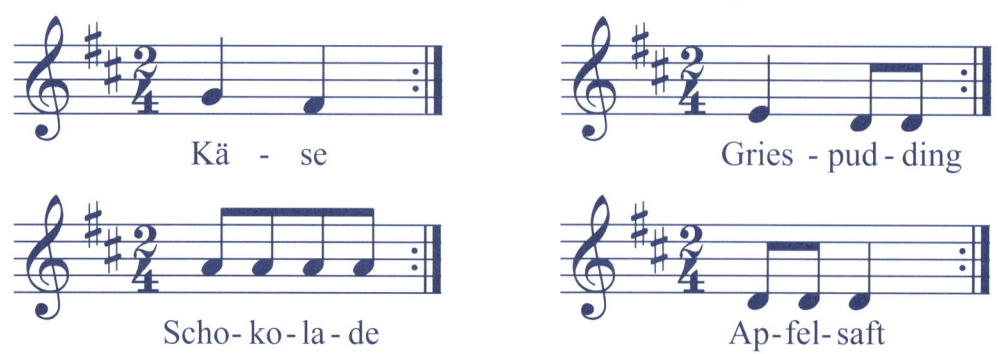

Kä - se

Gries - pud - ding

Scho- ko - la - de

Ap - fel - saft

 Schreibe die Noten von deinem Lieblingsessen auf und spiele es. Schreibe auch die Geheimsprache über dein Lieblingsessen.

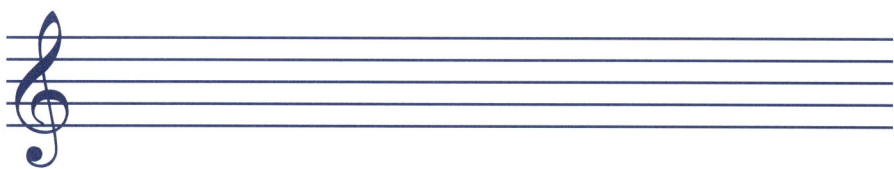

Fing mir eine Mücke heut

Melodie und Text: überliefert

Fing mir ei - ne Mü - cke heut, grö - ßer als ein Pferd wohl.

Ließ das Fett, das Fett ihr aus, war ein gan - zes Fass voll.

So klingt das Summen der Mücken:

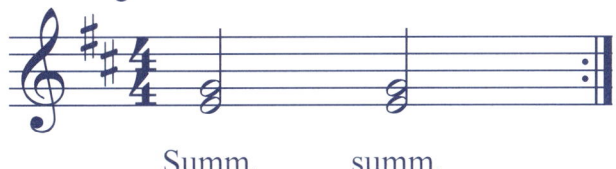

Summ, summ.

 Du kannst immer den gleichen Ton spielen oder zwischen den Tönen wechseln.

 Beginne bei der 2/4 - Lokomotive und verbinde sie mit allen 2/4 - Wagen zu einem Zug. Verbinde auch die anderen Züge.

Eine lange Klapperschlange

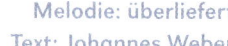
Melodie: überliefert
Text: Johannes Weber

Ei - ne lan - ge Klap - per - schlan - ge lau-ert in den Bü - schen.

Klei - nes Mäus - chen, bleib im Häus - schen, lass dich nicht er-wi - schen!

© Johannes Weber

Sucht euch für jeden Rhythmus ein passendes Instrument.
Spielt die Rhythmen zu dem Lied.

klei - nes Mäus - chen   lass dich nicht er - wi - schen

Ei - ne lan - ge Klap - per - schlan - ge lau - ert in den Bü - schen.

Klei - nes Mäus - chen, bleib im Häus - chen, lass dich nicht er wi - schen!

Sportliche Übungen

Fridolin, das Känguru, springt auf dem Trampolin.
Auch deine Finger können sportlich sein.
Setze zwei Finger auf die D-Saite.
Springe mit beiden Fingern wie auf einem
Trampolin gleichzeitig auf der Saite.
Der Daumen bleibt am Geigenhals.

Sport-lich sprin-gen, sport-lich sprin-gen

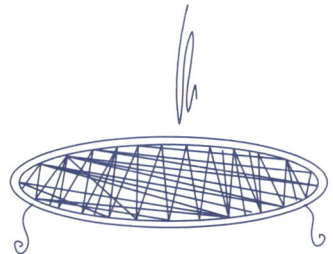

Bei diesem Lied müssen deine Finger ganz oft springen.

Fridolin, das Känguru

Melodie und Text: Luise Schroeter

Fri - do - lin, das Kän - gu - ru, hüpft auf und nie - der im - mer - zu, er

springt auf ei - nem Tram - po - lin, so sport - lich ist der Fri - do - lin.

Wer hat meinen Floh geseh'n?

Melodie und Text: Doris During

Wer hat mei - nen   Floh ge-seh'n?   Ist mir weg - ge - sprun - gen.

Er war wirk-lich   wun-der-schön   und hat schön ge - sun - gen.

Der Floh hat einen neuen Freund gefunden.
Das Lied über den Freund ist zerrissen.
Nummeriere die Takte in der richtigen Reihenfolge.
Auf wem reitet der Floh jetzt?

Baue mit deinen Fingern eine Brücke auf der Geige.
Greife das fis auf der D-Saite, lass die Finger stehen und streiche die A-Saite.
Deine Finger dürfen die A-Saite nicht berühren.

klei - nes Lamm,   klei - nes Lamm,

Mary hat ein kleines Lamm

Melodie und Text: überliefert

Ma - ry hat ein klei - nes Lamm, klei - nes Lamm, klei - nes Lamm.

Ma - ry hat ein klei - nes Lamm, sein Fell ist weiß wie Schnee.

Mit der Begleitung könnt ihr in der Gruppe auch ein Konzert
mit Solo und Tutti spielen. Einer spielt die Melodie,
alle anderen spielen zusammen die Begleitung.

Ma - ry hat ein klei - nes Lamm, klei - nes Lamm, klei - nes Lamm.

Ma - ry hat ein klei - nes Lamm, sein Fell ist weiß wie Schnee.

Das Lied stammt aus England. Marys bester Freund ist ein kleines Lamm.
Sie nimmt das Lamm sogar mit in die Schule,
aber es muss draußen warten, bis Mary wieder kommt.
Singt das Lied auch auf Englisch.

Mary had a little lamb, little lamb, little lamb,
Mary had a little lamb, its fleece was white as snow.

Everywhere that Mary went, Mary went, Mary went,
everywhere that Mary went, the lamb was sure to go.

 Spiele ganz leise und geheimnisvoll.
Der 1. Finger bleibt immer liegen!

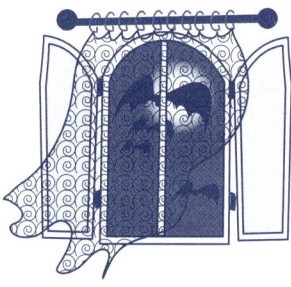

Dun - kel,   Dun - kel

 Baue die Fingerbrücke, lass alle Finger auf der D-Saite liegen.

ängst-lich, ängst-lich,   ängst-lich, ängst-lich

Dunkel ist's um Mitternacht

Melodie und Text: Malte Heygster

Dun - kel ist's um   Mit - ter - nacht,   nur der U - hu   hält die Wacht.

Geis - ter schlei - chen   durch die Nacht,   Angst hat je - der,   der noch wacht.

 **Begleite das Lied mit den geheimnisvollen Melodien.**
Dazu passen auch gruselige Geräusche.

 Schreibe die Geheimsprache als Noten auf die Linie

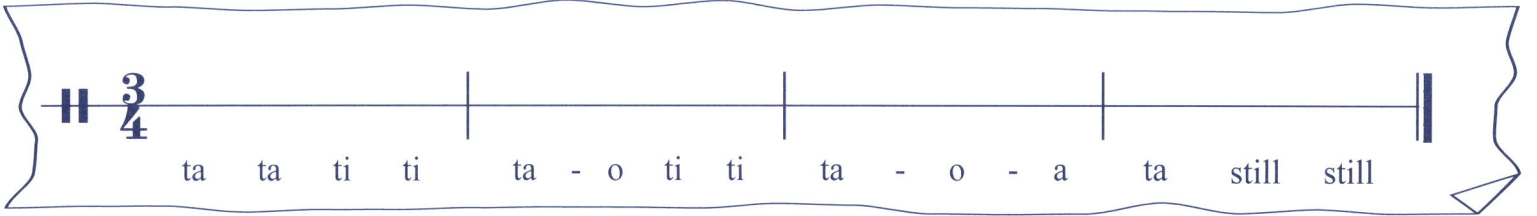

$\frac{3}{4}$ ta   ta   ti   ti   ta - o   ti   ti   ta - o - a   ta   still   still

Drei Lieder in anderen Sprachen

Das Lied stammt aus Slowenien. Marko möchte gerne seine Freundin treffen.
Sie wohnt weit weg in einem anderen Dorf.
Deshalb muss er über viele Wiesen, Brücken und Berge laufen.

 Bevor Marko über die Wiesen laufen kann,
musst du noch einmal eine Brücke bauen:

Heu - te bau - en   wir die Brü - cke,   Stein auf Stein und   oh - ne Lü - cke.

Wo gibt es auf deinem Instrument eine „Brücke"?
Du kannst auf Seite 79 nachsehen.

Marko skače

Melodie und Text: aus Slowenien

1. Mar - ko ska - če,   Mar - ko ska - če,   po ze - le - ni   tra - ti,

aj,   aj,   aj, aj, aj,   po ze - le - ni   tra - ti.

2. V rokah nosi, v rokah nosi, sedem žutih zlatih,
aj, aj, aj, aj, aj, sedem žutih zlatih.

3. To de njemi, to de njemi, za devojko dati,
aj, aj, aj, aj, aj, za devojko dati.

deutscher Text: Norbert Koop

1. Marko springe, Marko springe über grüne Wiesen,
aj, aj, ... über grüne Wiesen.

2. Marko laufe, Marko laufe über sieben Brücken,
aj, aj, ... über sieben Brücken.

 Im folgenden Lied müssen alle drei Finger gleichzeitig auf die Saite gestellt werden. Die Finger müssen vorher über der Saite schweben.

Ro - ter, blau - er, gel - ber Luft - bal - lon.

Ro - ter, blau - er, gel - ber Luft - bal - lon.

 Setze die Finger rund auf. Hebe sie ein Stück hoch. Trotzdem sollen sie rund wie eine Brücke bleiben.

Balonum

Melodie und Text: Marlies Krause

Ba - lo - num ba - lo - num, gü - zel ba - lo - num,

Kır - mızı, ma - vi, sa - rı ba - lo - num,

Gel se - nin - le oy - na - ya - lım,

Gel se - nin - le oy - na - ya - lım.

Singt auch mit dem deutschen Text:

Luftballon, Luftballon, schöner Luftballon.
Roter, blauer, gelber Luftballon.
Komm und tanz mit mir herum.
Komm und tanz mit mir herum.

Luftballonrätsel

Welches Kind hat welchen Luftballon in der Hand?
Zeichne eine Schnur.

In diesem Zug hilft eine zweite Lokomotive mit.
Trage die fehlende Zahl ein, achte auf den Wagen hinter der Lokomotive.

Wenn in einem Lied ein neues Taktzeichen erscheint,

nennt man das Taktwechsel.

Spiele „Atte katte nuwa" in der Papprolle und singe dabei das Lied.

 Benutze für die Viertelnoten ♩ viel und für die Achtelnoten ♫ weniger Bogen.

Atte katte nuwa

Melodie und Text: überliefert

At -te kat-te nu-wa, at-te kat-te nu-wa, e mis-sa de mis-sa du-la mis-sa de.

He-xa ko-la mis-sa woa - te, he-xa ko-la mis-sa woa - te.

At-te kat-te nu-wa, at-te kat-te nu-wa, e mis-sa de mis-sa du-la mis-sa de.

Fülle die Takte mit ♩♩ , ♩ , ♩

Schreibe die Geheimsprache über die Noten.
Sprich und klatsche den Rhythmus.

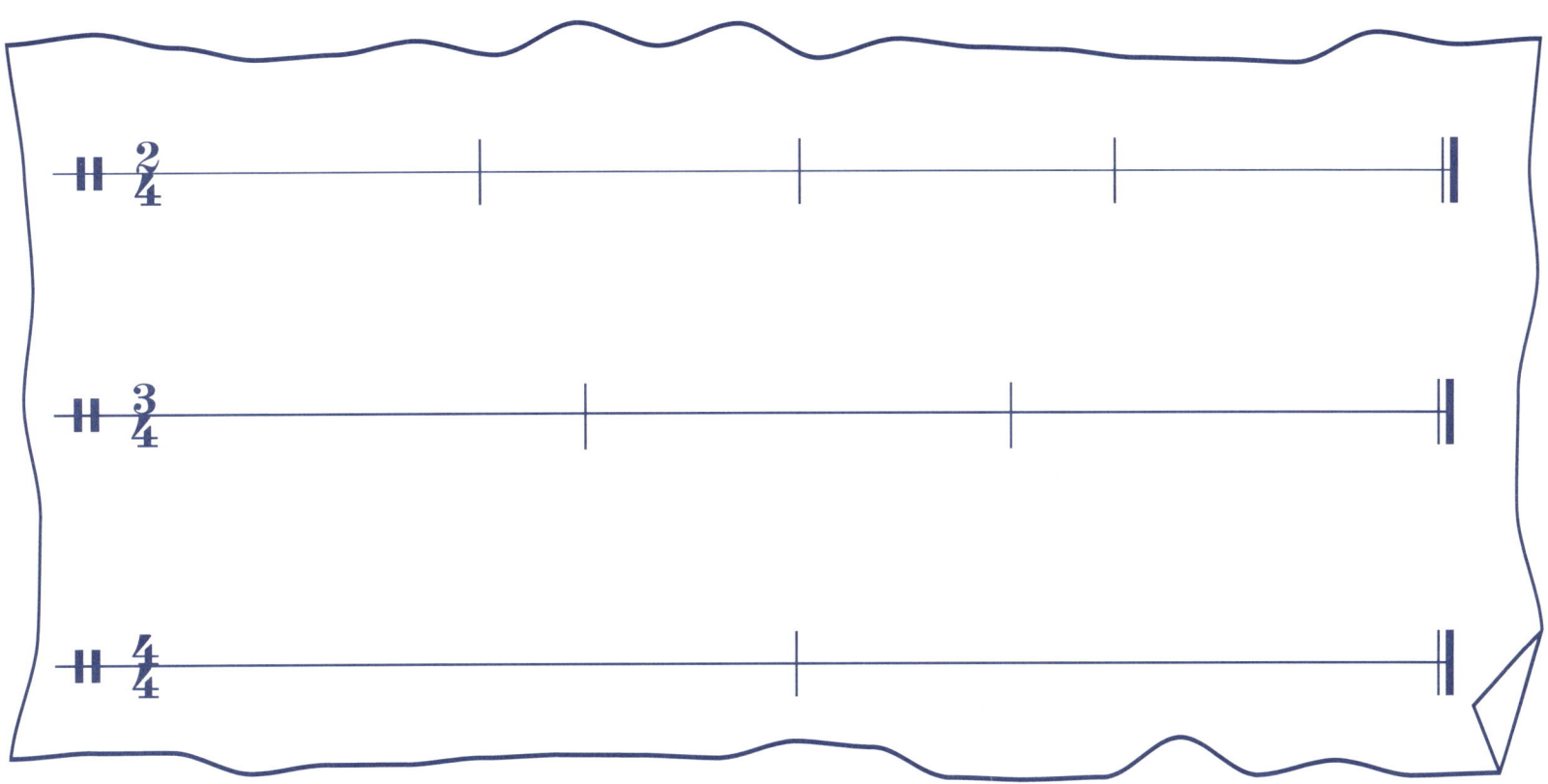

Ausflug auf die A-Saite

**Auf dem Ausflug lernst du den Ton h.
Er wird mit dem 1. Finger auf der A-Saite gespielt.**

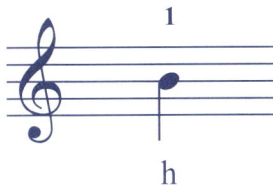

Zeichne hier den Punkt für den Ton h ein.

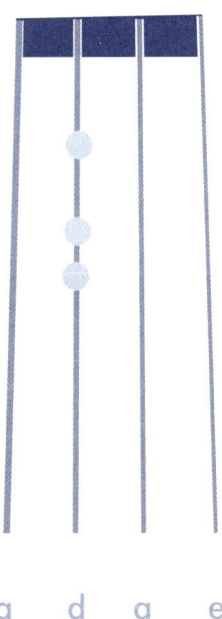

g   d   a   e

63

Alle meine Entchen

Melodie: überliefert; Text: Gustav Eskuche (1865–1917)

Al - le mei - ne   Ent - chen schwim-men auf dem See,   schwim-men auf dem

See,   Köpf- chen in das   Was - ser, Schwänz-chen in die   Höh'.

 Erinnerst du dich noch an die Tonleiter auf Seite 8?
In dem Lied „Alle meine Entchen" gibt es auch ein Stück Tonleiter.
Findest du es?
Fange „Alle meine Entchen" auch auf der G-Saite oder A-Saite an.

Hans, mein Hoppelhase

Melodie und Text: Peter Heilbut

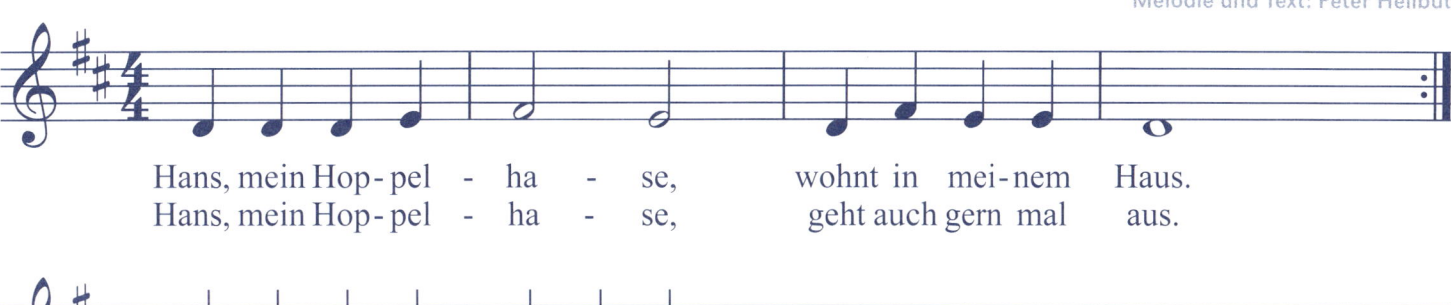

Hans, mein Hop-pel - ha - se, wohnt in mei-nem Haus.
Hans, mein Hop-pel - ha - se, geht auch gern mal aus.

Plötz-lich a - ber hüpft, oh Schreck! Hans, mein Hop-pel - ha-se weg!

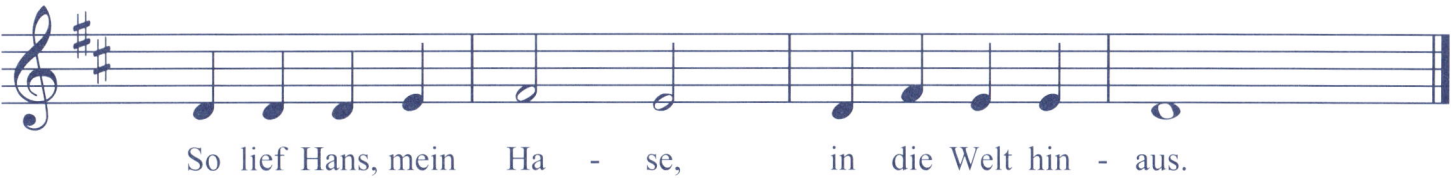

So lief Hans, mein Ha - se, in die Welt hin - aus.

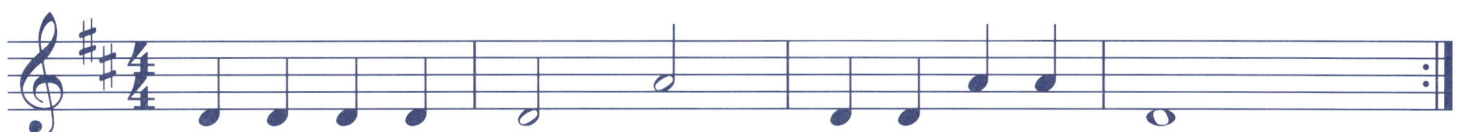

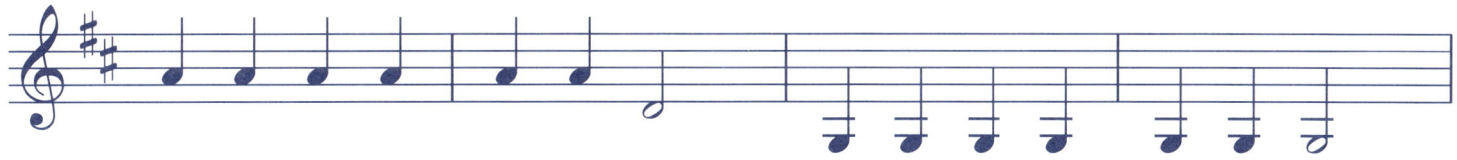

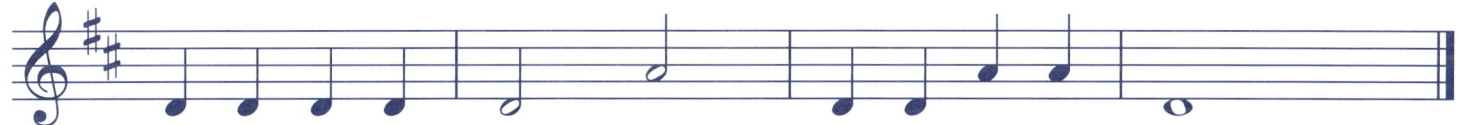

 Bei diesem Lied kommt nach dem h sofort der Ton g.
Lasse den 1. Finger auf der A-Saite liegen, bis der 3. Finger auf der D-Saite liegt.

Auf der Mauer, auf der Lauer

Melodie und Text: überliefert

Auf der Mau - er,   auf der Lau - er   sitzt 'ne klei - ne   Wan - ze.

Auf der Mau - er,   auf der Lau - er   sitzt 'ne klei - ne   Wan - ze.

Seht euch mal die   Wan - ze an,   wie die Wan - ze   tan - zen kann!

Auf der Mau - er,   auf der Lau - er   sitzt 'ne klei - ne   Wan - ze.

Wenn ihr dieses Lied singt, könnt ihr die Wörter „Wanze" und „tanzen" bei jeder Wiederholung kürzen, bis nichts mehr übrig bleibt! Das sieht dann so aus:

Auf der Mauer, auf der Lauer

Melodie und Text: überliefert

Singt das Lied zuerst und spielt es dann: Wer fällt in eine Pause rein?

Neuer Griff – neuer Ton: das f

 Dieses Lied kennst du schon! Jetzt fängt es mit einem anderen Ton an.
Du musst den 2. Finger an einer anderen Stelle auf die Saite setzen.
Versuche zu hören, wo die richtige Stelle ist.

Wenn die Vögel traurig singen

Melodie und Text: Norbert Koop

Wenn die Vö - gel trau - rig sin - gen, ist der Som - mer bald vor - bei.

© 2009 Schott Music GmbH & Co. KG, Mainz

Bis jetzt hast du mit dem 2. Finger den Ton fis gespielt.
Das fis kannst du am ♯ erkennen.
Suche das Zeichen in den Noten auf Seite 45.

Bei diesem Lied heißt der Ton f.
Der neue Ton klingt etwas tiefer.

 Hier siehst du die beiden Noten und Griffe für f und fis:

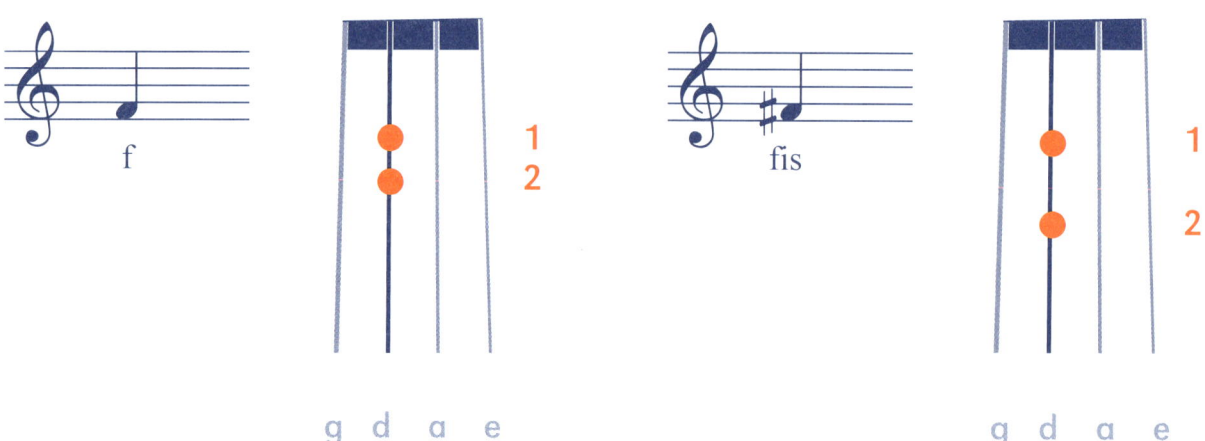

Der 2. Finger steht beim f direkt neben dem 1. Finger.

Auch dieses Lied kennst du schon.
Du musst wieder den 2. Finger neben den 1. Finger stellen.

Wer schleicht nachts

Melodie und Text: Luise Schroeter

Wer schleicht nachts um un - ser Haus? Sind das wohl die Kat - zen,

die da ra-scheln im Ge-büsch und am Fen - ster krat - zen?

Kannst du dich noch an dieses Lied erinnern? Am Anfang steht ein Kreuz ♯ .
Das bedeutet: Im ganzen Lied steht der 2. Finger wieder neben dem 3. Finger.

Mary hat ein kleines Lamm

Melodie und Text: überliefert

Ma - ry hat ein klei - nes Lamm, klei - nes Lamm, klei - nes Lamm.

Ma - ry hat ein klei - nes Lamm, sein Fell ist weiß wie Schnee.

Eines Tages ist das Lamm verloren gegangen. Mary ist sehr traurig.
Das Lied klingt nun anders, und du musst den 2. Finger neben dem 1. Finger aufsetzen.

Mary hat ihr Lamm verlor'n

Melodie und Text: überliefert

Ma - ry hat ihr Lamm ver - lor'n, Lamm ver-lor'n, Lamm ver-lor'n.

Ma - ry hat ihr Lamm ver-lor'n, sein Fell war weiß wie Schnee.

 Welcher Weg führt Mary zu ihrem Lamm?
Folge den Tönen der D-Saite aufwärts.

Doch am Ende findet Mary das Lamm wieder. Singe und spiele das Lied fröhlich:

Mary hat ein kleines Lamm

Melodie und Text: überliefert

Ma - ry hat ein klei - nes Lamm, klei - nes Lamm, klei - nes Lamm.

Ma - ry hat ein klei - nes Lamm, sein Fell ist weiß wie Schnee.

Zauberer Sonnenfleck

Melodie und Text: Luise Schroeter

Zau - be - rer Son - nen - fleck zau - bert die Wol - ken weg

im Mo - nat Mai: „Komm, Son - ne, her - bei!"

 Der Zauberer hat leider auch Noten aus einem
bekannten Lied weggezaubert.
Welches Lied ist es? Zaubere die Noten wieder herbei.

Eine weite Reise

 Spiele lange sanfte Striche, als ob du ein Baby streichelst.
Nutze die Pause, um die zwei Finger hochzuheben oder aufzusetzen.

Schlaf ein, schlaf ein.

Die halbe Pause ▬ dauert so lange,

wie eine halbe Note ♩ klingt.

In Geheimsprache heißt die ▬ „Pau-se".

71

Schlaflied bei klarer Nacht

Melodie und Text: Frank Dettke

Schlaf, mein Kind, schlaf nun ein, drau-ßen steht ein Stern.

Der steht hoch ü-ber'm Haus, leuch-tet uns von fern.

 Zum Lied kannst du als Begleitung „Schlaf ein" von Seite 71 spielen!

In der Nacht träumt das Kind von einem fernen Land.
In diesem Land macht alles Musik, sogar die Bäume und
die Häuser haben ihre eigene Melodie.
Wie könnte im Traumland eine Wolke klingen?
Oder ein Rennwagen? Oder eine Kastanie?

 Denke dir etwas aus und schreibe die Noten hier auf.
Wie heißt deine Musik?

Freust du dich auf die Ferien? Vielleicht bist du aufgeregt,
weil du eine weite Reise machst. Dann bist du etwas zappelig.
Streiche mit dem Bogen an der Spitze sehr schnell hin und her.
Das heißt tremolo.

In den Noten schreibt man das so auf:

Fermate (italienisch) bedeutet „halten".

Du kannst den Ton oder die Pause länger spielen.

Wackellied

Melodie und Text: Frank Dettke

Wa-ckeln mei-ne   Fin-ger so?   O-der ist es   gar mein Po?

Heu-te wackelt   al-les hier.   Was ist denn nur   los mit mir?

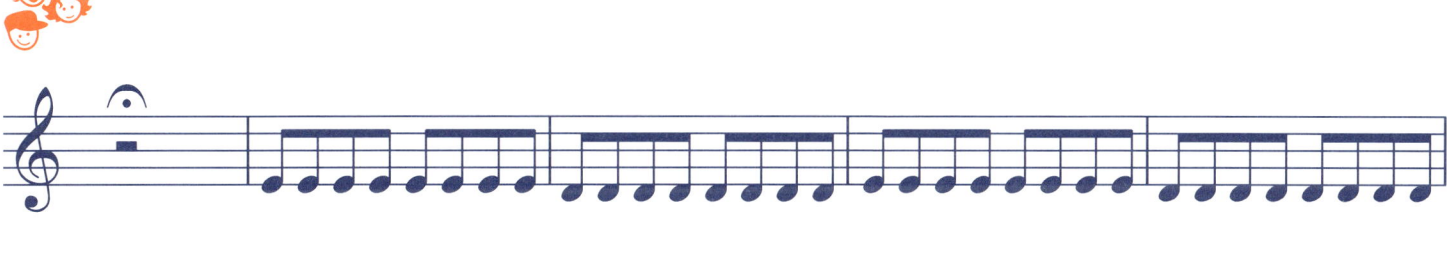

Eine Reise

Die Reise geht in die Türkei!

**Hier fängst du wieder mit Aufstrich an: an der Spitze beginnen und langsam
bis zum Frosch streichen. Wenn du am Frosch bist, beginnt das Lied.**

Maçka Yolları

Melodie und Text: aus der Türkei

Oy!__ Maç-ka yol-la - rı taş - lı,__ ge - li-yor ka - lem kaş-lı.

Ne de-dum da da - rul-dun böy - le göz - le - rin yaş - lı.

2. Oy! Yukarı gel yukarı, ırmağın gözündeyim.
Eller ne derse desin, ben yine peşundeyum.

**Ein Junge aus der Stadt Maçka trifft seine Freundin.
Diese ist sehr traurig. Er möchte, dass sie wieder fröhlich wird.**

deutscher Text: Norbert Koop

1. Oh, steinig sind die Wege Maçkas, komm und ruh dich bei mir aus.
Was ist denn mit dir passiert? Schatz, du siehst so traurig aus.

2. Oh, du sollst wieder glücklich werden, komm und laufe schnell zu mir.
Viele Leute lachen d'rum, doch ich gehe gern mit dir.

Fing mir eine Mücke heut

Melodie und Text: überliefert

1. Fing mir ei - ne Mü - cke heut, grö - ßer als ein Pferd wohl,

ließ das Fett, das Fett ihr aus, war ein gan - zes Fass voll.

Wer das glaubt ein E - sel ist, grö - ßer als ein Pferd wohl,

wer das glaubt ein E - sel ist, grö - ßer als ein Pferd wohl.

2. Zog ihr dann den Stachel aus, war spitz wie 'ne Nadel,
machte mir 'nen Degen draus, sah aus wie von Adel.
Wer das glaubt …

3. Zog ihr dann das Fell noch ab, war weich wie 'ne Decke,
schlief darauf die ganze Nacht wie im Himmelbette.
Wer das glaubt …

**Dies ist ein Angeberlied aus Ungarn:
Einer singt oder spielt den ersten Teil allein und
die ganze Gruppe antwortet mit dem zweiten Teil.**

Spielt dazu die Begleitung „Keiner glaubt das".

Kei - ner glaubt das, kei - ner glaubt das.

Zum Schluss besuchen wir noch ein Krokodil, das im Nil lebt.

Krokodil

Melodie und Text: Luise Schroeter

1. Kro - ko - dil, schwimm im Nil, kurz und auch mal län - ger,

denn im Nil gibt es viel' Fi - sche für den Fän - ger!

2. Krokodil, schwimm im Nil, sonne dich und gähne!
Krokodil, du hast viel´ messerscharfe Zähne.

 **Sprecht und spielt das Wort „Krokodil" zum Lied.
Du kannst immer den gleichen Ton spielen oder zwischen den Tönen wechseln.**

Kro - ko - dil, Kro - ko - dil,

Sucht euch für jeden Rhythmus ein passendes Instrument.

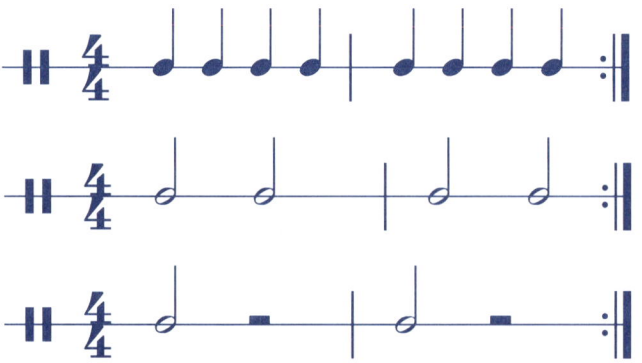

Spiele diese Begleitung zu dem Lied. Was muss der 2. Finger machen?

Zäh - ne, Zäh - ne, Zäh - ne, Zäh - ne,

Ensemble Kunterbunt

Diese beiden Lieder kannst du mit allen anderen Instrumenten gemeinsam spielen.

Maçka Yolları

Melodie und Text: aus der Türkei

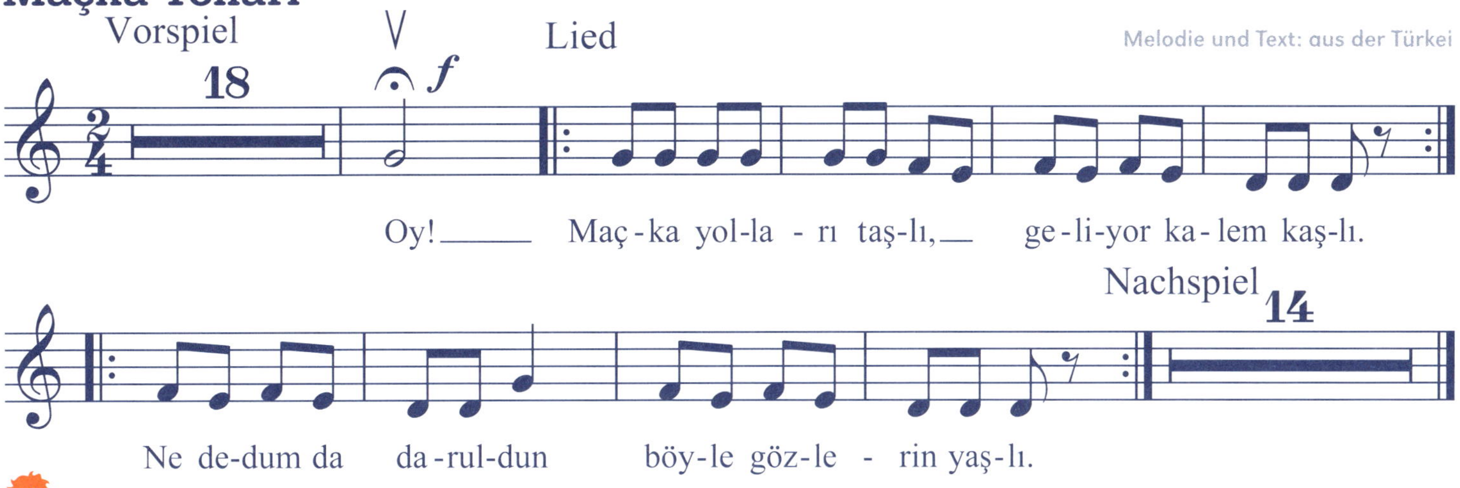
Vorspiel
18
Lied
Oy! Maç-ka yol-la - rı taş-lı, ge-li-yor ka-lem kaş-lı.
Ne de-dum da da-rul-dun böy-le göz-le - rin yaş-lı.
Nachspiel
14

So kannst du das Lied auf der Geige begleiten:

Arrangement: Thomas Krause

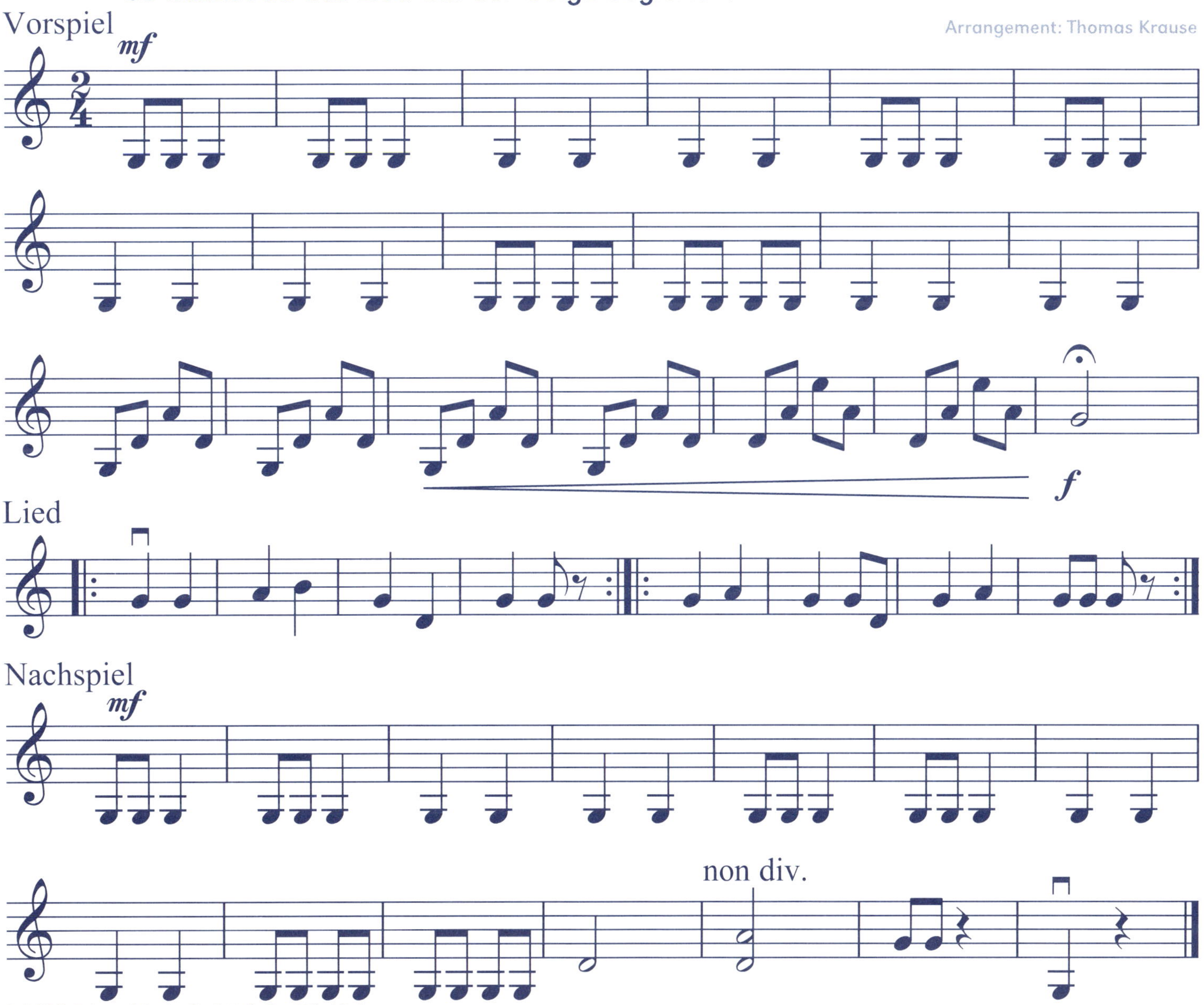
Vorspiel
mf
f
Lied
Nachspiel
mf
non div.

Spuren

Melodie und Text: Thomas Krause

Kal - ter Zeh,   Spu-ren sind im Schnee;   braun - ge - brannt,

Spu-ren sind im Sand.   Plitsch, plitsch, platsch,   Spu-ren sind im Matsch

 So kannst du das Lied auf der Geige begleiten:

Vor- und Zwischenspiel

Arrangement: Thomas Krause

Anhang

Saiten

Saitenhalter

Steg

Kinnhalter

Feinstimmer

F-Löcher

Zarge

Schnecke

Wirbel

Griffbrett

Hals

Korpus

Pflegehinweise

Das Holz der Streichinstrumente ist relativ dünn und der Lack sehr empfindlich.
Deshalb müssen die Instrumente vorsichtig behandelt werden.
Zu Hause solltest du dein Instrument an einem Ort aufbewahren, der weder
übermäßig kalt oder warm und auf keinen Fall feucht ist.
Falls du kleinere Geschwister oder Haustiere hast, dürfen diese nicht
an das Instrument gehen können.

So pflegst du dein Streichinstrument:
Mit einem weichen Tuch wischst du regelmäßig den Staub ab.
Besonders unter den Saiten sammelt sich viel Kolophoniumstaub, den man
nach dem Spielen abwischen sollte.
Auch das Holz des Bogens kann ab und zu mit dem Tuch gesäubert werden.
Der Bogen wird ungefähr einmal in der Woche mit Kolophonium bestrichen.
Die Haare des Bogens soll man nicht mit den Fingern berühren.
Nach dem Spielen muss der Bogen immer entspannt werden.

Lieder

Alle meine Entchen 64

Atte katte nuwa 62

Auf der Mauer, auf der Lauer 66, 67

Autobahn 20

Balonum 60

Brücken baut der Biber 13

Bruder Jakob 23

Der Frosch 32

Der Regenbogen 26

Die Spitze 32

Dunkel ist's um Mitternacht 58

Durch die Straßen 27

Durcheinander 11, 12, 18

Eine lange Klapperschlange 54

Elefant 50

Fing mir eine Mücke heut 53, 75

Fischer an der Elbe 43

Fridolin, das Känguru 55

Geister spuken durch die Nacht 22

Goldene Äpfel 49

Hans, mein Hoppelhase 65

Heute male ich 31

Ich kenne eine Eule 34

Ich lauf gerne 47

Ihr Kinderlein kommet 37

In den dunklen Straßen 28

Jeder spielt so gut er kann 17

Jingle Bells 38

Kleiner Wurm 19

Krokodil 76

Lasst uns froh und munter sein 35

Lauf, mein Pferdchen 24, 25

Liebe Mama 7

Maçka Yolları 74, 77

Marko skače 59

Mary hat ein kleines Lamm 57, 69, 70

Mary hat ihr Lamm verlor'n 69

Mein Lieblingsessen 52

Morgen kommt der Weihnachtsmann 36

Null und drei 42

Regenlied 42, 48

Schlaflied bei klarer Nacht 72

Spuren 78

Starke Stürme gehen 33

Töne klettern 8

Wackellied 73

Was ich tu 14

Wenn die Vögel fröhlich singen 46

Wenn die Vögel traurig singen 45, 68

Wenn es noch mal 51

Wenn ich einmal groß bin 9, 15

Wer hat meinen Floh geseh'n? 56

Wer schleicht nachts 44, 69

Wo sind denn die Noten? 29

Zauberer Sonnenfleck 71